D0854193

Dépôt légal 1er trimestre 1987
Bibliothèque nationale du Québec
ISBN-2-920675-23-0

La Grande Collection Micro-Ondes

Les Marmitons

Mot de Croûton

Bonjour marmiton! Je m'appelle Croûton le maître queux.
C'est moi qui serai ton guide à travers les prochaines pages. Je ne sais pas si tu es comme moi, mais j'adore faire la cuisine!
On découvre toujours de nouvelles recettes en cuisinant, et c'est autant de bonnes choses à faire goûter aux autres et à déguster soi-même.
Si tu suis bien les instructions contenues dans ce livre et que tu tiens compte de mes conseils, tu arriveras sans peine à préparer des plats délicieux qui épateront tout le monde. En plus, tu devrais t'amuser beaucoup en les préparant parce que plusieurs de mes recettes sont drôles comme tout! Commences-tu à comprendre pourquoi j'aime tant faire la cuisine!

Table des matières

La Grande Collection Micro-Ondes se veut une encyclopédie complète de l'art culinaire adapté à la cuisson au four à micro-ondes. Pour la première fois, les ménages québécois pourront consulter un ouvrage exhaustif, consacré à la cuisson micro-ondes, entièrement conçu et réalisé au Québec.

Chacun des vingt-six tomes se concentre sur un thème précis, ce qui en facilite la consultation. Ainsi, par exemple, si vous cherchez des idées pour apprêter une volaille, vous n'aurez qu'à vous référer à l'un des deux livres consacrés à cette question. Il est à noter que chaque livre s'accompagne de son index et que le dernier ouvrage de la Grande Collection présente un index général de l'ensemble.

Facile à consulter, la Grande Collection Micro-Ondes, qui offre plus de mille deux cents recettes, saura devenir un outil culinaire aussi utile et indispensable que votre four à micro-ondes.
Bonne lecture et, surtout, bon appétit !

Niveaux de puissance

Toutes les recettes de ce livre ont été testées dans un four de 700 W. Comme il existe un grand nombre de fours à micro-ondes dans le commerce, avec des niveaux de puissance différents, et que les appellations de ces niveaux varient d'un fabricant à l'autre, nous avons préféré donner des pourcentages. Pour adapter les niveaux de puissance donnés, consultez le tableau ci-contre et le livret d'utilisation afférent à votre four.
Ainsi, si vous possédez un four de 500 W ou de 600 W, vous devrez majorer les temps de cuisson mentionnés d'environ 30 %. Précisons que plus la durée de cuisson est brève, plus la majoration peut être importante en termes de pourcentage. Le chiffre de 30 % ne représente donc qu'une moyenne. Consultez le tableau ci-contre pour vous aider à ce chapitre.

Tableau d'intensité

FORT - HIGH : 100 % - 90 %	Légumes (sauf pommes de terre bouilies et carottes) Soupes Sauces Fruits Coloration de la viande hachée Plat à rôtir Maïs soufflé
MOYEN - FORT - MEDIUM HIGH : 80 % - 70 %	Décongélation rapide de mets déjà cuits Muffins Quelques gâteaux Hot dogs
MOYEN - MEDIUM : 60 % - 50 %	Cuisson des viandes tendres Gâteaux Poissons Fruits de mer Oeufs Réchauffage des aliments Pommes de terre bouillies et carottes
MOYEN - DOUX - MEDIUM LOW : 40 %	Cuisson de viandes moins tendres Mijotage Fonte du chocolat
DÉCONGÉLATION - DEFROST : 30 % DOUX - LOW : 20 % - 30 %	Décongélation Mijotage Cuisson de viandes moins tendres
MAINTIEN - WARM : 10 %	Maintien au chaud Levage de la pâte à pain

700 W	**600 W***
5 s	11 s
15 s	20 s
30 s	40 s
45 s	1 min
1 min	1 min 20 s
2 min	2 min 40 s
3 min	4 min
4 min	5 min 20 s
5 min	6 min 40 s
6 min	8 min
7 min	9 min 20 s
8 min	10 min 40 s
9 min	12 min
10 min	13 min 30 s
20 min	26 min 40 s
30 min	40 min
40 min	53 min 40 s
50 min	66 min 40 s
1 h	1 h 20 min

* Il y a peu de différence entre les durées applicables aux fours de 500 watts et ceux de 600 watts.

Table de conversion

Table de conversion des principales mesures utilisées en cuisine

Mesures liquides	
1 c. à thé	5 ml
1 c. à soupe	15 ml
1 pinte . . . (4 tasses)	1 litre
1 chopine . (2 tasses)	500 ml
1 tasse	250 ml
1/2 tasse	125 ml
1/4 de tasse	50 ml

Mesures de poids	
2,2 lb	1 kg (1 000 g)
1,1 lb	500 g
0,5 lb	225 g
0,25 lb	115 g
1 oz	30 g

Équivalence métrique des températures de cuisson

°C	°F	°C	°F
49°C	120°F	120°C	250°F
54°C	130°F	135°C	275°F
60°C	140°F	150°C	300°F
66°C	150°F	160°C	325°F
71°C	160°F	180°C	350°F
77°C	170°F	190°C	375°F
82°C	180°F	200°C	400°F
93°C	190°F	220°C	425°F
107°C	200°F	230°C	450°F

Les lecteurs noteront que, dans les recettes, nous convertissons 250 ml en 1 tasse ou encore 450 g en 1 lb. Cela s'explique par le fait qu'en cuisine, il est peu pratique de donner des conversions arithmétiques justes. En effet, les instruments de mesure ne permettent pas d'obtenir des quantités aussi précises mais peu commodes que 454 g (1 lb), par exemple. Nous devons donc utiliser des équivalences approximatives, ce qui peut donner lieu à certaines contradictions arithmétiques. Par contre, du fait que les quantités sont toujours exprimées dans les deux systèmes de mesure (métrique et impérial), cette façon de procéder ne devrait poser aucune difficulté.

La cuisine aux micro-ondes ? Un jeu d'enfant !

Elle est bien loin l'époque où les parents frémissaient d'inquiétude à l'idée de laisser les enfants sans surveillance, dans la cuisine, au moment de la préparation des repas. Il faut dire que l'équipement dont disposaient nos grands-parents n'était pas des plus sécurisants : cuisinières aux portes très chaudes, poêlons de fonte aux manches toujours brûlants, grilles de four atteignant des températures extrêmes, ustensiles lourds, cassants ou coupants, etc. Bien que plusieurs de ces dangers aient été amoindris ou tout à fait écartés avec le temps, le réflexe d'éloigner systématiquement les enfants de la cuisine au moment de préparer le repas n'est pas tout à fait disparu. Aussi devrions-nous repenser notre attitude en considérant le four à micro-ondes sous tous ses aspects, y compris celui, important, de la sécurité.

Quel avantage cet appareil présente-t-il par rapport à la cuisinière traditionnelle ? Il en présente plusieurs, en fait. Le plus important est directement relié à son principe de fonctionnement : le four à micro-ondes produit très peu de chaleur. L'appareil lui-même ne chauffe pas et il cuit les aliments sans chauffer les récipients ou les ustensiles. Adieu grilles chaudes et poignées brûlantes ! Même si les aliments communiquent, en cuisant, un peu de leur chaleur aux plats, ceux-ci se maintiennent, la plupart du temps, à des températures que les mains peuvent supporter.

Voilà déjà une caractéristique des plus rassurantes, mais il y en a d'autres ! Tous les fours à micro-ondes sont munis d'un mécanisme de sécurité sophistiqué qui interrompt immédiatement le fonctionnement du four si on ouvre la porte et qui empêche sa remise en marche aussi longtemps que la porte n'est pas refermée. De plus, si quelque chose ne se passe pas comme prévu, l'enfant peut à tout moment interrompre l'émission de micro-ondes instantanément en pressant un bouton ou en ouvrant la porte du four. Et comme le four à micro-ondes est conçu de manière à empêcher la fuite d'ondes, il peut être utilisé sans crainte par les enfants. Le texte de la page 107, *Le four à micro-ondes : un appareil sécuritaire,* donne d'autres détails qui convaincront les plus sceptiques.

Dans le contexte où nous vivons, on peut dire que l'arrivée d'un tel appareil tombe à point. Dans nombre de familles modernes, les enfants sont revenus à la maison avant que les parents ne soient rentrés du travail et le moindre retard des parents est ressenti douloureusement par leurs petits estomacs. Comme le four à micro-ondes est facile à utiliser, pourquoi ne pas leur montrer comment s'en servir ? Ainsi, vos enfants acquerront rapidement une autonomie dont ils seront fiers et ils seront en mesure de vous prêter main forte à la cuisine au lieu de vous incommoder par leur présence.

Le livre que vous avez entre les mains démontre que la cuisine aux micro-ondes peut être un jeu d'enfant. La première partie vous est destinée : elle vous indique une façon efficace d'amener vos enfants à cuisiner joyeusement, en toute sécurité. La seconde partie, de loin la plus importante, s'adresse directement à vos marmitons en puissance. Recettes, mises en garde et conseils pratiques leur sont présentés d'une manière vivante, ponctués des apparitions de notre irrésistible mascotte, Croûton le maître queux, un écureuil cuisinier !

Un peu de patience, et vos enfants sauront bientôt cuisiner aux micro-ondes

Produit de la haute technologie, le four à micro-ondes facilite grandement les opérations de décongélation, de cuisson et de réchauffage des aliments.
Son utilisation est d'une extrême simplicité. De plus, cet appareil réduit presque entièrement les risques de brûlures. Il suffit de respecter quelques règles de sécurité élémentaires pour éliminer tout à fait les dangers que présentaient les méthodes de cuisson traditionnelles. Toutes ces caractéristiques réunies font du four à micro-ondes un appareil sûr dont on n'a plus de raison d'éloigner les enfants. On aurait, au contraire, toutes les raisons de les en approcher. Les nombreuses occupations auxquelles les parents se livrent aujourd'hui ont considérablement modifié le partage des tâches domestiques, si bien qu'on est maintenant en droit de s'attendre à une plus grande participation des enfants, notamment au chapitre de la préparation des repas. Il ne suffit cependant pas de prendre cette décision pour que la participation des enfants soit automatiquement acquise.
Leur initiation à l'utilisation du four à micro-ondes vous demandera un peu de temps mais, en fin de compte, tout le monde y gagnera.

À l'idée de préparer eux-mêmes certains repas, les enfants pourront avoir différentes réactions. Il importe d'en tenir compte et de les préparer psychologiquement à leurs responsabilités culinaires. Certains enfants manifestent de la crainte, de l'inquiétude ou de la résistance quand on leur offre de faire la cuisine. Ce type de réaction demande compréhension et patience. Vous avez tout avantage, dans ce cas, à proposer, pour commencer, une participation modeste à vos enfants et à n'accroître leur collaboration que très progressivement. L'enfant doit être tout à fait rassuré avant de passer à une autre étape. Si l'idée de cuisiner laisse vos enfants indifférents, il vous faudra accomplir un travail de sensibilisation. Des préparations amusantes dont le goût leur plaît pourraient constituer une bonne initiation. N'oubliez pas de souligner leurs réussites. Toutefois, lorsque vos enfants sont débordants d'enthousiasme, vous devez démontrer une attitude modératrice et patiente. Veillez à ce que cet enthousiasme ne se transforme pas en agitation dangereuse.
La joie de cuisiner ne devrait jamais être l'occasion de brûler les étapes et d'augmenter les risques d'accident. Dans tous les cas, votre participation attentive aux premières expériences de vos enfants est absolument indispensable.
En marge de la préparation psychologique, les enfants doivent recevoir une préparation technique suffisante, et le présent recueil de recettes saines et simples sera votre meilleur conseiller dans la réussite de cet apprentissage.
Vous y trouverez, comme dans les autres volumes de

La Grande Collection Micro-Ondes, une foule de recommandations et de conseils, présentés assez simplement, cette fois, pour que les enfants y aient directement accès. De plus, la présentation de chaque recette a été passablement modifiée de manière à la rendre encore plus attrayante. Le texte est plus aéré, une attention particulière a été portée au choix des couleurs et le vocabulaire utilisé pour décrire les ingrédients et la préparation a été simplifié. De plus, on a clairement indiqué l'âge des enfants pour lesquels la recette a été conçue. Quant à la liste d'ingrédients, elle est présentée sous forme de fiche et est intitulé **Il TE FAUT...** Cette présentation devrait vous permettre de déterminer rapidement si vous disposez de tout ce qu'il faut et devrait faciliter à vos enfants la tâche de rassembler les produits nécessaires à la réalisation de la recette.
Dans le même esprit, la préparation de chaque mets est décrite en détail.
Toutes les étapes sont numérotées et énoncées dans l'ordre, et chacune est expliquée aussi brièvement et aussi simplement que possible.
Pour la plupart des recettes, un encadré spécial met l'accent sur les difficultés particulières que présente la préparation ou souligne les risques que peut occasionner la mauvaise exécution de telle ou telle étape. Ces indications vous permettront d'évaluer si vos enfants sont prêts à exécuter la recette, s'ils ont ou non besoin de votre aide, etc. De plus, l'écureuil Croûton donne aux enfants des conseils pratiques propres à améliorer leurs techniques de préparation ou à stimuler leur intérêt pour la cuisine.
Enfin, les photographies illustrant les étapes de la préparation sont plus nombreuses qu'à l'ordinaire. Elles aideront à la compréhension de toutes les manipulations à faire.
Avant de vous lancer dans la préparation d'une recette avec un enfant, ou avant de lui confier quelque préparation que ce soit, nous vous conseillons deux choses :
— Asseyez-vous et lisez avec lui les pages 18 et 19 du présent recueil où sont rassemblées les principales précautions de base qu'impose l'utilisation d'un four à micro-ondes. Assurez-vous que l'enfant les comprenne parfaitement. Ce ne serait d'ailleurs pas une mauvaise idée que d'afficher sur la porte du réfrigérateur une copie de ces pages. Vous pourriez y souligner les mises en garde qui vous paraissent les plus importantes.
— Lisez également avec l'enfant toute la recette qu'il se propose de faire et vérifiez si elle est bien comprise.
C'est par une initiation patiente, accomplie dans la quiétude et le respect des limites (temporaires) de vos enfants, que vous pourrez bientôt compter sur des marmitons habiles et débrouillards pour vous aider à préparer les repas.

Les repas préparés à l'avance

Pour les enfants qui commencent, la plus simple préparation de repas sera sans doute celle qui consiste à réchauffer un mets déjà préparé, qui a été réfrigéré ou congelé dans un récipient allant au four à micro-ondes. Cela implique que vous prépariez et mélangiez à l'avance tous les ingrédients (à l'exception peut-être des assaisonnements) et que vous les cuisiez, si vous le jugez nécessaire.

Les récipients à utiliser

Il existe deux grands types de récipients pouvant être utilisés dans ces circonstances, et chacun d'eux a un usage précis. Si vous choisissez de faire cuire les mets avant de les réfrigérer ou de les congeler, les plats de plastique sont un excellent choix. Parce qu'ils sont hermétiques, ils protègent bien les aliments contre le dessèchement et les enfants peuvent facilement et sans risque décongeler et réchauffer les aliments précuits.

Cependant, il n'est pas recommandé d'utiliser ce type de récipient pour cuire les aliments qui ont été mélangés puis réfrigérés ou congelés sans avoir été cuits. On utilisera plutôt des récipients de pyrex. Bien qu'ils soient moins hermétiques, les contenants de pyrex servent aussi à congeler les aliments, mais pour une période plus courte.

L'identification des plats

Vous avez avantage, surtout au début, à porter une attention particulière à l'identification des plats. Par exemple, si vous préparez un plat de viande en sauce et un plat de légumes, à cuire séparément, vous pourriez coller sur chaque récipient, un bout de papier indiquant à l'enfant :

— le contenu du plat (Bœuf pour ce soir) ;
— les ingrédients à ajouter (poivre, basilic et ail) ;
— l'ordre de cuisson (Cuire en premier) ;
— l'intensité (70 %) ;
— le temps de cuisson et les manipulations (8 min, remuer ou faire pivoter d'un demi-tour, 8 min, repos de 5 min).

Une feuille d'instructions qui donne dans l'ordre toutes les opérations à faire pourrait également être d'une très grande utilité pour les marmitons débutants.

Comment initier l'enfant au four à micro-ondes

Le fonctionnement du four traditionnel et celui du four à micro-ondes sont basés sur deux données importantes : l'intensité et le temps. Pour le four traditionnel, il s'agit d'une intensité de chaleur, évaluée en degrés, alors que pour le four à micro-ondes, il s'agit plutôt d'une quantité d'ondes émises par le four, exprimée en pourcentage.
Que l'on cuisine aux micro-ondes ou au four traditionnel, le temps durant lequel un aliment séjourne dans le four est toujours très important.
Cependant, parce que le four à micro-ondes cuit les aliments beaucoup plus vite, il faut faire encore plus attention au réglage du temps. Il suffit souvent de quelques minutes à peine pour que les micro-ondes cuisent trop les aliments au point de les rendre immangeables.
Quand on n'est pas certain du temps de réchauffage ou de cuisson, il vaut toujours mieux faire fonctionner le four moins longtemps que plus longtemps. On peut toujours cuire un peu plus des aliments qui ne sont pas assez cuits, mais on ne peut pas récupérer les aliments trop cuits.
De plus, parce que l'action des micro-ondes est rapide, le réglage de l'intensité doit toujours correspondre précisément à ce qu'indique la recette.

La minuterie

La minuterie est probablement l'élément du four le plus important. Il faut comprendre parfaitement son fonctionnement avant de mettre le four en marche.
C'est elle qui mesure le temps durant lequel les aliments seront exposés aux micro-ondes, dans le four.
C'est elle, aussi, qui arrête le fonctionnement du four quand le temps est écoulé.
Il est donc important qu'elle soit bien réglée, sans quoi les aliments pourraient être gâchés par une trop longue cuisson, ou pas encore assez cuits alors qu'on les croit prêts à servir.
Il y a deux sortes de minuterie : la minuterie mécanique et la minuterie électronique. La minuterie mécanique est une roulette qui ne peut être actionnée que dans le sens des aiguilles d'une montre. Il ne faut jamais la forcer à tourner dans l'autre sens. Elle permet de régler, à la minute près, le temps durant lequel le four fonctionnera. La minuterie électronique est composée, pour sa part, d'un petit écran affichant des chiffres lumineux et de quelques boutons qui permettent de programmer le temps durant lequel le four fonctionnera, et ce à la seconde près.

La minuterie mécanique est une simple roulette qui ne doit être tournée que dans le sens des aiguilles d'une montre. Elle règle le temps à la minute près.

La minuterie électronique est constituée d'un panneau de contrôle dont les boutons servent à écrire sur l'écran lumineux le temps de fonctionnement du four. Elle est précise à la seconde près.

Le réglage de l'intensité

Le four devra émettre plus de micro-ondes pour cuire un aliment que pour simplement garder chaud un aliment déjà cuit. Il faut donc régler l'intensité du four avant de le mettre en marche. L'intensité varie d'une recette à une autre et chaque recette donne l'intensité qui convient. Pour certaines recettes, il faut changer l'intensité au cours de la cuisson. On règle l'intensité de certains fours en enfonçant un simple bouton ou en faisant glisser un curseur, alors que sur d'autres modèles, on écrit l'intensité sur un écran lumineux à partir du panneau de commande.

Le bouton de mise en marche et le bouton d'arrêt

Une fois la minuterie et l'intensité réglées, on doit presser le bouton de mise en marche pour que le four commence à émettre des micro-ondes. Un autre bouton commande l'arrêt instantané du four en tout temps. Le four ne se mettra en marche que si la porte est bien fermée et il s'arrêtera instantanément si la porte est ouverte pendant qu'il fonctionne.

1. On pousse le bouton de mise en marche après avoir réglé la minuterie et l'intensité. Le compte à rebours commence alors.

2. Le bouton d'arrêt sert à interrompre le fonctionnement du four en tout temps.

3. Sur plusieurs modèles de four, on écrit l'intensité sur l'écran lumineux à partir du panneau de contrôle.

Les ustensiles

Aïe, aïe, aïe ! Pilon, cocotte, moule tubulaire, clayette... Comment voulez-vous que les nouveaux marmitons s'y retrouvent ? En cuisine, il y a beaucoup d'ustensiles différents et les marmitons qui commencent ne les connaissent peut-être pas tous. Pourtant, tous ces ustensiles sont importants. Chacun sert à faire une opération précise que les autres ustensiles ne peuvent pas faire aussi bien.

Essayons de voir ensemble à quoi servent les principaux ustensiles. Il faut préciser tout d'abord qu'il y a deux groupes d'ustensiles. Dans le premier groupe, il y a ceux qui servent à contenir les aliments, comme les plats et les moules. Dans le deuxième groupe, il y a ceux qui servent à mesurer et à transformer les aliments : les couteaux, les hachoirs, etc. Nous allons examiner tout de suite à quoi servent les ustensiles du premier groupe et nous verrons plus loin, à la page 17, à quoi servent les autres.

Les récipients pour la cuisson

Les contenants de plastique qui peuvent aller dans le four à micro-ondes servent à conserver les aliments et à les réchauffer. Ne les utilise pas pour cuire les aliments. Enlève toujours le couvercle avant de les mettre au four.

Les grands plats servent à la cuisson des aliments. La plupart du temps, ils sont fait en pyrex ou en porcelaine. Habituellement, leurs bords sont bas et ils n'ont pas de couvercle. Quand on veut les couvrir, on se sert d'une pellicule plastique, mais on laisse un coin découvert pour que la vapeur s'échappe. Ils ont une poignée à chaque bout.

Les plats carrés sont utilisés pour cuire les aliments solides comme des croquettes ou des côtelettes. On ne les utilise pas pour cuire les mets en sauce parce que les micro-ondes cuisent trop vite ce qui se trouve dans les coins.

Les plats ovales et les plats ronds peuvent être utilisés pour cuire tous les types d'aliments, les solides comme les liquides. Leur forme permet aux micro-ondes de tout cuire également.

La cocotte est un plat muni d'un couvercle et dont les bords sont hauts. On s'en sert surtout pour les aliments qui cuisent lentement.

Le moule à gâteau rond, en verre, est le plus facile à utiliser avec un four à micro-ondes. La pâte des gâteaux y cuit plus également et on peut vérifier si elle est cuite simplement en regardant à travers le fond. Si on utilise des moules carrés, on doit couvrir les coins de papier d'aluminium.

Le moule à muffin a plusieurs petites cavités disposées en cercle.
Il n'y en a pas au centre parce que la pâte qui s'y trouverait cuirait moins vite.

Dans **le moule tubulaire (ou moule en couronne)**, les aliments cuisent très également parce qu'il n'y a pas de coins et qu'il n'y a rien au centre. On peut aussi s'en servir pour mouler des aliments qu'on congèle, comme de la viande hachée. La décongélation est beaucoup plus facile quand les aliments ont la forme d'un gros beigne.

La plaque à bacon ne sert pas seulement à faire cuire le bacon. On peut y faire décongeler et cuire les galettes de bœuf haché, les côtelettes, les steaks et beaucoup d'autres aliments qui laissent écouler du jus en chauffant. Sa forme empêche les aliments de baigner dans leur jus.

La clayette est une sorte de support qui joue le même rôle que la plaque à bacon. On met toujours la clayette dans un plat, sinon les liquides coulent dans le four et le salissent.

Le faitout est une sorte de grosse tasse à mesurer dans laquelle on peut mélanger les ingrédients et les faire cuire.

Voici les principaux ustensiles de cuisson : 1. Clayette dans un plat rectangulaire 2. Moule à gâteau 3. Plats rectangulaires 4. Plats ronds 5. Cocotte 6. Moule tubulaire 7. Faitout 8. Ramequin 9. Plaque à bacon 10. Plats ovales 11. Moule à muffin.

(Photo de la page 17.)

Voici les ustensiles de mesure et de transformation : 1. Pilon et mortier 2. Tasse à mesurer 3. Pilon 4. Râpe 5. Fouet 6. Planche à découper 7. Brosse à légumes 8. Moulinette 9. Faitout 10. Spatules 11. Cuillères à mesurer 12. Cuillère de bois 13. Passoire.

Les ustensiles de mesure et de transformation

Pour mesurer la quantité d'un ingrédient, tu évalues soit son poids, soit son volume. Tu utilises une **balance de cuisine** pour mesurer le poids.
Pour évaluer les gros volumes, tu utilises des **tasses à mesurer,** et pour évaluer les petits, des **cuillères à mesurer.**
Pour nettoyer les légumes et les gros fruits dont on mange la pelure, tu les frottes, sous l'eau du robinet, avec une **brosse à légumes.** Pour nettoyer les plus petits aliments, tu te sers d'une **passoire.**
Pour couper les aliments en morceaux assez gros, tu utilises un bon couteau et tu poses les aliments sur une **planche à découper.**
Ainsi, les aliments ne glissent pas et tu ne risques pas d'abîmer le comptoir ou la table.
Pour peler les légumes et quelques fruits comme les pommes, tu utilises un **couteau-éplucheur.**
Pour couper les aliments en lanières très fines, tu te sers d'une **râpe.** On peut aussi s'en servir pour râper les légumes, certains fruits, le fromage et le chocolat.
Pour hacher les aliments, tu peux te servir d'un couteau ou d'un **hachoir.**
Pour écraser les noix, les aliments en grains ou en poudre, etc., tu les presses avec un **pilon** dans le fond d'un **mortier.**

Quand tu dois mélanger des ingrédients ensemble, tu les mets dans un **faitout.** Pour les remuer, tu te sers d'une longue **cuillère,** mais si tu dois les battre, c'est d'un **fouet** dont tu as besoin, ou d'un **batteur électrique** si tu ne les bats pas à la main.
Pour décoller et retourner les aliments plats sans qu'ils se brisent, utilise une **spatule.**

Comment utiliser ton livre

Avant que tu commences à cuisiner, il faut que je te parle du livre que tu as entre les mains. Ce livre va sûrement t'apprendre des choses que tu ne sais pas encore, et il va t'expliquer un peu plus celles que tu connais déjà.

En premier, tu devrais lire les pages d'explications générales. Tu y apprendras comment te servir sans risque d'un four à micro-ondes et comment tu dois t'y prendre pour cuisiner sans difficulté. Ensuite, tu pourras te choisir une recette parmi les nombreuses recettes différentes que contient ton livre. Tu trouveras, sous le nom de la recette, une indication d'âge. Si tu as plus de 12 ans, tu n'auras aucune difficulté à faire toutes les recettes du livre. Par contre, si tu es plus jeune que l'âge indiqué, ne te décourage pas ! Fais-toi d'abord aider par un adulte et tu apprendras comment faire. La prochaine fois, tu pourras peut-être même la faire sans aide.
Faire la cuisine, c'est aussi facile que de compter jusqu'à 100, parole de Croûton et foi de cacahuète !
Toutes les recettes sont présentées de la même façon. Chacune est disposée sur deux ou quatre pages et présente une fiche d'ingrédients intitulée **Il te faut**, une description étape par étape de ce qu'il faut faire et la plupart du temps, un encadré contenant des conseils pratiques. Elle est aussi accompagnée de photographies qui montrent comment on réalise certaines des étapes de la préparation. Je n'ai pas pu m'empêcher d'ajouter mon grain de sel, bien sûr, et je t'ai laissé un peu partout mes petits secrets. De plus, il y a une grande photo qui illustre le résultat final de chaque recette.

Comment préparer une recette

Étape 1 — La première chose que tu dois faire avant de commencer la préparation, c'est de lire la recette au complet. Fais attention à tout ce qui est écrit et fais-toi expliquer ce que tu ne comprends pas. Si tu connais tous les ingrédients et que tu comprends tout ce qu'il y a à faire, tu peux passer à l'étape suivante.

Étape 2 — Tous les ingrédients et leur quantité sont inscrits sur une fiche comme celle-ci. Sors tous les ingrédients et pose-les sur le comptoir ou sur la table où tu vas travailler. Vérifie si tu as assez de chacun des ingrédients.

IL TE FAUT...

des ingrédients :

3 muffins anglais
125 ml (1/2 tasse) de sauce tomate
de l'origan
250 ml (1/2 tasse) de mozzarella râpé
du paprika

des ustensiles :

un couteau
une cuillère
une grande assiette

Étape 3 — Lis attentivement les encadrés. Ces petits textes t'avertissent des difficultés que tu peux rencontrer pendant la préparation de la recette, ou des dangers que tu cours si tu fais mal certaines opérations.
Si tu retiens ce que te dit ce texte, tu éviteras de te brûler, de te blesser ou de gâcher ta recette.
Et n'oublie pas de prendre connaissance de mes trucs ; c'est l'occasion pour moi de partager avec toi mes petits secrets de cuisinier.

Étape 4 — À la rubrique **Il te faut...**, tu trouveras la liste de tous les ustensiles dont tu as besoin pour préparer la recette.
Avant de commencer à mélanger les ingrédients, sors tous les ustensiles et pose-les près de toi. S'il te manque quelque chose, demande à un adulte où le trouver ou par quoi tu peux le remplacer. Ne commence pas à préparer la recette tant que tu n'es pas certain d'avoir tous les ustensiles nécessaires.

Étape 5 — Tu es maintenant prêt pour commencer la recette. Fais, dans l'ordre, toutes les opérations numérotées. Compare ce que tu fais et le résultat que tu obtiens avec ce qui est illustré sur les photos.
J'ai vu beaucoup de marmitons à l'œuvre dans ma carrière de maître queux, et j'ai même été marmiton moi-même, avant de devenir chef. Je peux te garantir que toutes les fois qu'un marmiton respecte la marche à suivre que je viens de t'exposer, il réussit une délicieuse recette. Parole de Croûton !

Potage de cresson
11 ans et plus

IL TE FAUT...

des ingrédients :
500 ml (2 tasses) de cresson frais
3 pommes de terre
750 ml (3 tasses) d'eau
un peu de poivre
30 ml (2 c. à soupe) de concentré de bouillon de poulet
125 ml (1/2 tasse) de crème à 15 %

des ustensiles :
une passoire
un couteau à légumes
une fourchette
une cocotte de 2 litres (8 tasses) munie d'un couvercle
un batteur-mélangeur
une planche à découper

Pour égoutter facilement le cresson

Ce sera plus facile d'égoutter le cresson si tu utilises une passoire. La passoire est un récipient de forme évasée, et son fond est percé de petits trous. Mets le cresson dans une passoire et place-la sous le robinet. Laisse couler l'eau 1 ou 2 minutes sur le cresson. Tu verras que l'eau s'écoule rapidement par les trous de la passoire.

1 Tes ingrédients et tes ustensiles.

2 • Mets le cresson dans la passoire et arrose-le avec l'eau du robinet.
• Hache le cresson avec le couteau à légumes.
• Laisse le cresson de côté.

3 • Avec un bon couteau à légumes, enlève toute la pelure des pommes de terre.
• Ensuite, coupe-les en petits cubes.

4 **Assure-toi de faire des cubes égaux. Les morceaux cuiront de façon égale et ton potage sera plus crémeux.**

5 • Mets les cubes de pommes de terre dans une dans une cocotte assez grande pour contenir 2 litres (8 tasses) de liquide.

• Verse seulement 50 ml (1/4 tasse) dans la cocotte; mets ce qui reste de côté pour plus tard.

6 • Mets le couvercle sur la cocotte.
• Place la cocotte dans le four à micro-ondes.
• Règle l'intensité à 100 %.
• Fais cuire 3 minutes.

7 • Mets des poignées et sors la cocotte du four.
• Soulève le couvercle et remue les pommes de terre avec une fourchette.

• Replace le couvercle et remets la cocotte au four.
• Continue la cuisson 2 minutes.

8 **Il est très important de remuer des aliments en cours de cuisson. Cette opération assure une cuisson uniforme.**

- Ouvre la cocotte et vérifie si les pommes de terre sont cuites. Si nécessaire, remets le tout au four encore 1 ou 2 minutes mais pas plus.

9 • Ajoute le cresson et mets un peu de poivre.
- Verse ce qui reste d'eau et ajoute le concentré de poulet.

- Avec une fourchette, mélange bien tous les ingrédients.
- Mets le couvercle et replace la cocotte dans le four.
- Fais cuire 7 minutes à 100 %.

10 • Avec des poignées, retire encore une fois la cocotte du four.
- Retire le couvercle et remue le mélange à l'aide d'une fourchette.
- Couvre à nouveau et remets au four.
- Fais cuire encore 8 minutes à 100 %.

11 • Remets tes poignées pour sortir la cocotte du four. Enlève le couvercle.
- Enlève le couvercle.
- Mets le batteur-marche.
- Bats le mélange environ 15 secondes, jusqu'à ce que le potage soit bien crémeux.

12 • Ajoute la crème. Brasse avec la fourchette.
- Couvre et remets la cocotte au four.
- Réchauffe 2 minutes à 100 %.
- Brasse avec une fourchette.
- Réchauffe 2 ou 3 minutes avant de servir.

Soupe aux légumes et aux nouilles

11 ans et plus

IL TE FAUT...

des ingrédients :

2 carottes
1 branche de céleri
1 oignon
250 ml (1 tasse) de chou haché
1 l (4 tasses) d'eau chaude du robinet
50 ml (1/4 tasse) de concentré de poulet
125 ml (1/2 tasse) de nouilles aux œufs
500 ml (2 tasses) de jus de légumes
un peu de sel
un peu de poivre

des ustensiles :

une râpe à légumes
un couteau-éplucheur
un couteau à légumes
une grande cocotte de 4 litres (16 tasses) munie d'un couvercle
une cuillère de bois
une planche à découper

Attention !

Pour cette recette tu devras râper des carottes. Ne coupe pas la tête des carottes que tu veux râper. Tu verras qu'il est beaucoup plus facile de les râper en les tenant par la tête.
Ne tente pas de râper les carottes jusqu'au bout car tu risques de te couper les doigts.

YOU

1

Tes ingrédients et tes ustensiles.

2

• Pèle les carottes avec le couteau-éplucheur.
• Pose la râpe à légumes sur la planche à découper et râpe finement les carottes, en les tenant par la tête.

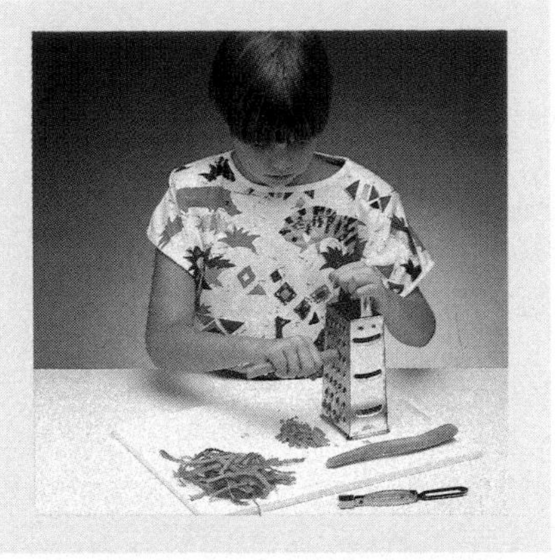

3

• Pose le céleri et l'oignon sur la planche à découper.
• Hache-les avec le couteau à légumes bien aiguisé. Manipule-le avec soin !

4

• Mets les carottes, le céleri, l'oignon et le chou dans la cocotte.
• Verse seulement 250 ml (1 tasse) d'eau chaude ; garde le reste pour plus tard.

5

• Mets le couvercle sur la cocotte.
• Place la cocotte dans le four à micro-ondes.
• Règle l'intensité à 100 %.
• Fais cuire 3 minutes.

6

• Avec des poignées, retire la cocotte du four.
• Soulève le couvercle et remue les légumes avec la cuillère de bois.
• Recouvre la cocotte et place-la dans le four 2 minutes.
• Sors la cocotte du four et vérifie si les légumes sont cuits. Si ce n'est pas cuit, remets la cocotte au four encore 1 ou 2 minutes, mais pas plus.

7 • Avec des poignées, retire la cocotte du four.
• Ajoute tous les qui reste d'eau chaude, le concentré, les nouilles, le jus de légumes, le sel et le poivre.
• Mélange le tout avec la cuillère de bois.

8 • Replace le couvercle et remets la cocotte au four. Cuire 4 minutes à 100 %.
• Sors la cocotte du four et remue la soupe avec la cuillère de bois.

• Remets le couvercle et replace la cocotte au four.
• Fais cuire 4 minutes à 100 %.
• Remue encore une fois.
• Fais cuire à nouveau 2 minutes à 100 %.

9 • Avec des poignées, sors la cocotte.
• Enlève le couvercle et vérifie si tout est cuit.
• S'il le faut, couvre à nouveau et remets la cocotte au four à 100 %, encore 1 ou 2 minutes mais pas plus.

10 • Laisse reposer la soupe 5 minutes pour que la cuisson se termine avant d'ouvrir la cocotte.

Pommes de terre en robe des champs

7 ans et plus

IL TE FAUT...

un ingrédient :

4 pommes de terre, de grosseur moyenne

des ustensiles :

une brosse à légumes
une fourchette
une assiette qui va au four à micro-ondes
quatre petits carrés de papier d'aluminium

Pour savoir si les pommes de terre sont cuites

Comme tout le monde, tu dois aimer manger des pommes de terre cuites juste à point. Comment fait-on pour savoir si elles sont cuites ? C'est bien simple. Si tu peux insérer facilement les pointes d'une fourchette dans la pelure, les pommes de terre sont bien cuites. Mais prends garde : elles sont aussi très chaudes.

1 Rassemble tes ingrédients et tes ustensiles. Tu as besoin de 4 pommes de terre, d'une brosse à légumes, d'une fourchette, d'une assiette et de 4 petits carrés de papier d'aluminium.

2 Te voilà prêt ! La première chose à faire est de nettoyer les pommes de terre. Après avoir rincé les pommes de terre sous l'eau du robinet, frotte-les avec la brosse à légumes.

3 Avec la fourchette, pique les pommes de terre à plusieurs endroits. **Les petits trous que tu fais dans les pommes de terre facilitent le travail des micro-ondes et empêchent que la pelure éclate pendant la cuisson.**

4 Maintenant que les pommes de terre sont bien piquées, dispose-les en cercle dans un plat rond. **N'oublie pas de placer les pommes de terre près du bord du**

plat. Comme tu le sais, les micro-ondes n'aiment pas voyager dans le centre des plats : si tu y mets une pomme de terre, elle cuira moins vite que les autres.

5 • Mets l'assiette dans le four.
• Règle l'intensité à 100 % et fais cuire les pommes de terre pendant 4 minutes.

6 • Mets des poignées.
• Ouvre la porte du four et fais pivoter d'un demi-tour.
• Referme la porte du four et fais cuire encore 2 minutes.

7 • Vérifie la cuisson des pommes de terre avec une fourchette comme te l'a expliqué Croûton.
• Si ce n'est pas assez cuit, remets les pommes de terre au four à 100 % 2 minutes.

8 Vérifie encore une fois la cuisson avec la fourchette. Si les pommes de terre ne sont pas assez cuites, fais-les cuire 1 ou 2 minutes, mais pas plus.

9 Emballe chaque pomme de terre dans un carré de papier d'aluminium. Il faut que le côté brillant touche à la pelure.

10 Attends 5 minutes avant d'enlever le papier d'aluminium et de les servir à tes parents ou à tes amis.

Carottes glacées
7 ans et plus

IL TE FAUT...

des ingrédients :
8 carottes
50 ml (1/4 tasse) d'eau
15 ml (1 c. à soupe) de cassonade
30 ml (2 c. à soupe) de beurre
30 ml (2 c. à soupe) de persil haché

des ustensiles :
un couteau-éplucheur
un couteau à légumes
une planche à découper
une cuillère de bois
une cocotte de 2 litres (8 tasses) munie d'un couvercle

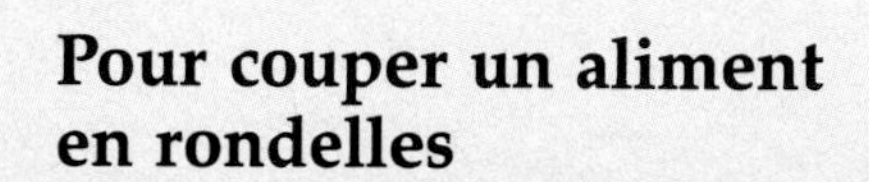

Pour couper un aliment en rondelles

Pour couper un aliment en rondelles, tu fais des tranches de même épaisseur. Tous les aliments qui ont la forme de petits cylindres peuvent être coupés en rondelles : carottes, courgettes, blancs de poireaux, panais, concombres, saucissons, boudin, bananes, etc.

1 Tes ingrédients et tes ustensiles.

2 • Pose les carottes sur la planche à découper et pèle-les avec le couteau-éplucheur.

3 • Avec le couteau à légumes,
• coupe les carottes en rondelles minces
• Mets les carottes dans la cocotte, puis verse-y l'eau.

4 • Place le couvercle sur la cocotte et mets-la dans le four.
• Règle l'intensité à 100 %.
• Fais cuire 4 minutes.

5 • À l'aide de poignées, sors la cocotte du four.
• Ôte le couvercle et remue les carottes avec la cuillère de bois.
• Couvre à nouveau et fais cuire encore 3 minutes.

6 • Remets tes poignées et sors la cocotte du four.
• Vérifie la cuisson des carottes avec une fourchette. Si elles sont dures, fais-les cuire encore 1 à 2 minutes.

7 • Ajoute la cassonade et le beurre aux carottes.

8 • Remets la cocotte, sans son couvercle, dans le four.
• Fais chauffer 1 minute à 100 %.
• Saupoudre le tout de persil.

Les petites opérations de la grande cuisine

Couper en biseau :
La carotte que tu vois sur la photo est coupée en biseau. Cela veut dire que la coupe n'est pas droite, comme quand tu fais des rondelles, mais en diagonale.

Couper en languettes :
Tu dois être prudent quand tu coupes un aliment en languettes. Appuie-le bien sur la planche à découper et coupe-le en deux parties égales dans le sens de la longueur. Pose ensuite chaque partie sur son côté plat et coupe-la en tranches dans le sens de la longueur.

Couper en rondelles :
Pour couper un aliment en rondelles, tu fais des tranches de même épaisseur. Tous les aliments qui ont la forme de petits cylindres peuvent être coupés en rondelles : carottes, courgettes, blancs de poireaux, panais, concombres, saucissons, boudin, bananes, etc.

(Suite page 39)

Pour couper les aliments sans danger

À ton âge tu dois déjà savoir qu'un couteau peut être dangereux. Pour couper les aliments, tu n'as qu'à suivre ces conseils.

1. Ne dispose sur la planche à découper que les aliments dont tu as besoin.
2. Tiens toujours le couteau par son manche.
3. Tiens l'aliment à découper dans une main et le couteau dans l'autre.
4. Ne te laisse pas distraire : regarde toujours ce que tu fais.

Épis de maïs
7 ans et plus

IL TE FAUT...

des ingrédients :
4 épis de maïs avec leurs feuilles
50 ml (1/4 tasse) de beurre fondu
un peu de sel

des ustensiles :
un plat
une paire de poignées
un couteau

Pour ne pas mettre trop de beurre sur ton épi

Si tu es comme moi, tu raffoles d'un épi de maïs recouvert de beurre fondant. Mais prends garde ! Le beurre, c'est très gras. Il ne faut donc pas en consommer trop. Alors, pour être sûr de ne pas trop en mettre sur ton épi, découpe un petit carré de beurre dur, pique-le avec la pointe de ta fourchette puis frotte-le sur toute la surface de l'épi. C'est bon et, surtout, c'est moins gras que de rouler ton épi dans le beurrier.

1 Tes ingrédients et tes ustensiles.

2 • Enlève une épaisseur des feuilles qui recouvrent les épis.

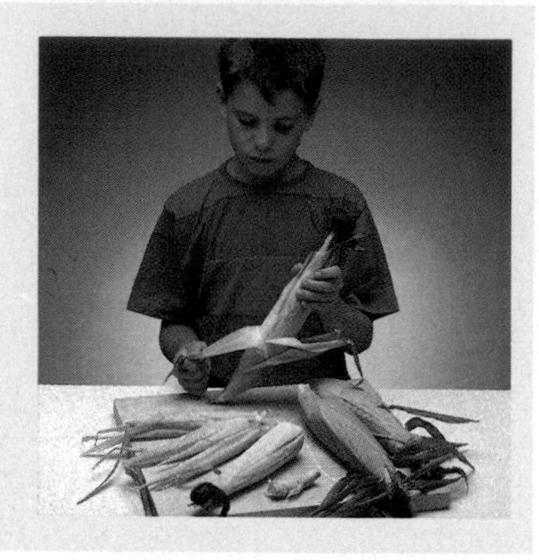

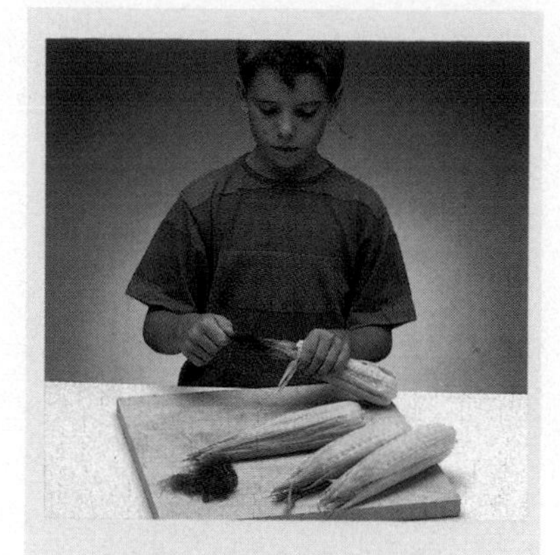

3 • Retire les filaments qui sont à l'extrémité.

4 • Mets les épis dans un plat et places-les en rond, pour que toutes les pointes se touchent au centre.
• Règle l'intensité à 100 % et fais cuire de 8 à 10 minutes, ou jusqu'à ce que les épis soient cuits à ton goût.
• Fais pivoter le plat d'un demi-tour après 5 minutes.

5 • Attends 3 minutes avant d'enlever les épis du four, pour qu'ils finissent de cuire.

6 • Mets des poignées pour sortir les épis du four. Même s'ils ne cuisent pas dans l'eau bouillante, ils sont quand même très chauds !

7 • Enlève la pelure qui recouvre les épis.

8 • Recouvre les épis de beurre fondu et sale-les à ton goût.

Les petites opérations de la grande cuisine.

Trancher :
Appuie toujours fermement sur la planche à découper l'aliment que tu dois trancher et essaie de faire des tranches égales. Les tranches minces cuisent plus vite que les tranches épaisses. Quand un aliment est coupé en tranches très minces, on dit qu'il est émincé.

Couper en bâtonnets :
Pour faire des bâtonnets avec un couteau, tu dois d'abord faire de belles tranches bien droites, toutes de la même épaisseur. Tu poses ensuite les tranches bien à plat sur la planche à découper et tu tailles les bâtonnets un par un dans le sens de la longueur des tranches.

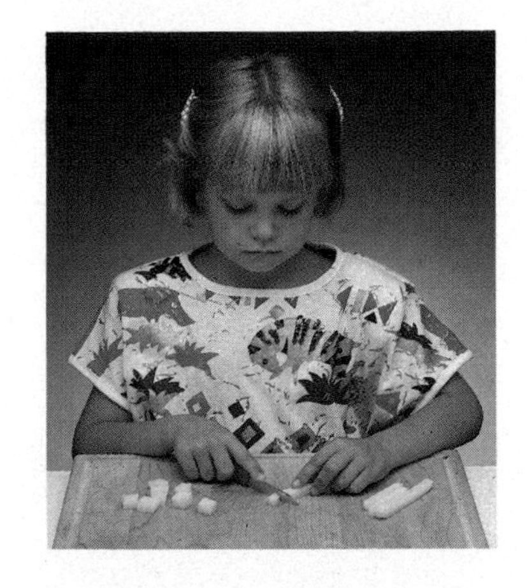

Couper en cubes :
Pour faire de beaux cubes réguliers, il y a trois étapes à suivre. Tu tailles d'abord tout l'aliment en tranches égales. Tu coupes ensuite chaque tranche en bâtonnets égaux. Enfin, sans les séparer, tu tournes les bâtonnets sur la planche à découper et tu les tailles dans l'autre sens.

(Suite page 43)

Connais-tu bien le maïs ?

Savais-tu qu'il existe trois sortes de maïs et qu'ils se distinguent par leur couleur ? Il y a le maïs jaune, le maïs blanc et le maïs bicolore, qui est jaune et blanc. Mais peu importe celui qui se trouve dans ton assiette, du maïs, c'est toujours bon !

Riz aux nouilles
7 ans et plus

IL TE FAUT...

des ingrédients :
250 ml (1 tasse) de riz à grains longs
75 ml (1/3 tasse) de nouilles fines
30 ml (2 c. à soupe) de bouillon de poulet en poudre
660 ml (2 2/3 tasses) d'eau chaude

des ustensiles :
une cuillère de bois
une cocotte de 2 litres (8 tasses) munie d'un couvercle

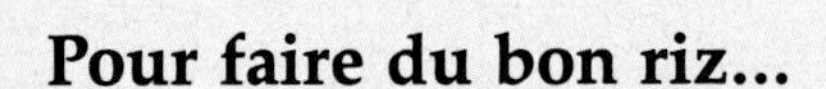

Pour faire du bon riz...

Préparer du riz, c'est facile avec un four à micro-ondes. Cependant, il y a un petit truc que tu dois absolument respecter : mesure bien tous les ingrédients avant de commencer à préparer la recette. En cuisant le riz absorbe l'eau qui est dans le plat ; il est donc très important d'utiliser la bonne quantité de liquide afin que le riz ne colle pas et soit cuit à point.

1 Tes ingrédients et tes ustensiles.

2 • Verse l'eau chaude dans la cocotte.
Ajoute le riz, les nouilles et le bouillon de poulet en poudre.

3 • Mélange bien avec la cuillère de bois. Il est important que la

poudre soit bien dissoute dans l'eau ; prends donc le temps de bien mélanger.

4 • Mets le couvercle sur la cocotte.
• Règle l'intensité à 100 % et fais cuire 5 minutes.

5 • Sors la cocotte du four.
• Remue les aliments avec la cuillère de bois.
• Couvre la cocotte et remets-la au four.
• Règle l'intensité à 70 % et fais cuire 10 minutes.

6 • Sors la cocotte du four et attends 5 minutes avant d'ouvrir la cocotte, pour que la cuisson se termine.

Les petites opérations de la grande cuisine.

Battre :
Pour battre un œuf, tu dois le casser dans un bol et le remuer très rapidement avec un fouet, un batteur à main ou une fourchette. On bat un œuf ou un mélange pour faire entrer des petites bulles d'air à l'intérieur. Ce sont ces bulles qui font gonfler l'aliment lorsqu'il cuit.

Remuer :
Quand tu remues une préparation, tu l'agites délicatement pour changer la position des ingrédients dans le plat. Pour faire cette opération, tu te sers le plus souvent d'une cuillère de bois afin de ne pas égratigner les plats. Prends bien soin de déplacer tout ce qui se trouve dans le plat.

Mélanger :
Quand tu mélanges des ingrédients, tu les remues vigoureusement dans tous les sens, avec une cuillère, pour bien les répartir. Cette opération se fait ordinairement dans un grand bol ou même dans un faitout. Quand tu mélanges, tu déplaces les aliments plus vigoureusement que quand tu les remues.

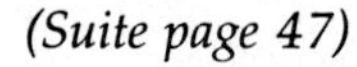
(Suite page 47)

Le riz cuit : plus gros que le riz cru

Savais-tu que la cuisson fait augmenter le volume du riz. Si tu prépares 250 ml (1 tasse) de riz cru (riz brun, riz blanc ou riz semi-cuit), tu obtiendras 250 ml (1 tasse) de riz cru. Le riz absorbe l'eau en cuisant. Quant tu manges du riz, tu avales aussi de l'eau !

Petit déjeuner du marmiton

7 ans et plus

IL TE FAUT...

des ingrédients :

3 tranches de bacon
1 œuf
15 ml (1 c. à soupe) de lait
un peu de sel
un peu de poivre

des ustensiles :

une plaque à bacon
une feuille de papier essuie-tout
des cuillères à mesurer
une tasse à mesurer
une fourchette

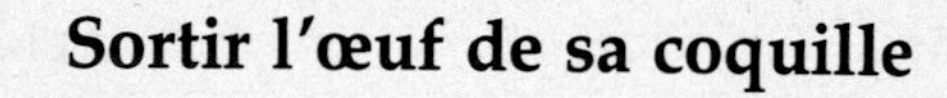

Sortir l'œuf de sa coquille

Ne fais jamais cuire un œuf dans sa coquille car celle-ci éclatera. Pour faire cuire un œuf entier, tu dois prendre les précautions suivantes pour empêcher que l'œuf éclate. À l'aide d'un cure-dents, pique le jaune à 2 endroits et le blanc à 3 ou 4 endroits (si tu le piques bien droit, l'œuf ne coulera pas). Les micro-ondes produisent une chaleur interne qui crée une pression de vapeur sous les membranes du jaune et du blanc de l'œuf et cette pression fait souvent éclater les membranes.

1 Tes ingrédients et tes ustensiles.

2 • Mets les tranches de bacon sur la plaque.
• Couvre le bacon avec une feuille de papier essuie-tout. Tu évites ainsi de salir l'intérieur du four.
• Règle l'intensité à 100 % et fais cuire le bacon 2 minutes.
• Vérifie si le bacon est assez croustillant. S'il est encore mou, fais-le cuire 1 minute de plus.

3 • Casse la coquille de l'œuf et verse-le dans la tasse à mesurer.
• Ajoute le lait, un peu de sel et un peu de poivre.
• Remue avec une fourchette pour bien mélanger.

4 • Mets la tasse dans le four.
• Règle l'intensité à 70 %.
• Fais cuire l'œuf 30 secondes.
• Remue-le avec une fourchette et fais-le cuire encore 30 secondes.

• Remue l'œuf encore une fois avant de le manger, et n'oublie pas ton bacon !

Les petites opérations de la grande cuisine.

Râper du fromage :
Le fromage râpé est utilisé dans plusieurs de nos recettes. Pour faire ces petites lamelles, tu dois frotter un gros morceau de fromage contre une râpe. Le fromage râpé fond plus vite et plus également pendant la cuisson que le fromage non râpé.

Râper des légumes :
Pour râper les légumes, tu procèdes de la même façon qu'avec le fromage : tu frottes le légume contre une râpe pour en faire des petites lamelles.
Attention : La râpe est un ustensile très tranchant et tu dois éviter de t'y frotter les doigts.

Faire pivoter le plat :
Pour que les aliments cuisent ou décongèlent également, il faut souvent faire pivoter le plat d'un demi-tour.
Cela veut dire que tu dois changer le plat de côté pour que les aliments qui étaient à droite, dans le four, se retrouvent à gauche et ceux de gauche, à droite.

Des œufs plein les yeux !

Est-ce qu'on t'as déjà demandé d'acheter des œufs ? Si oui, tu dois savoir que les œufs n'ont pas tous la même grosseur. En fait, les œufs sont classés selon leur grosseur. On trouve sur le marché cinq grosseurs ou calibres d'œufs : les extra-gros, les gros, les moyens, les petits et les peewee !

Pizzas
11 ans et plus

IL TE FAUT...

des ingrédients :
4 pains pitas
1 poivron vert
1 poivron rouge
8 champignons
1 oignon
1 boîte de 284 ml (10 oz) de sauce pour pizza
8 tranches de pepperoni
8 tranches de gruyère
du paprika

des ustensiles :
un couteau
une cuillère
une planche à découper
une grande assiette

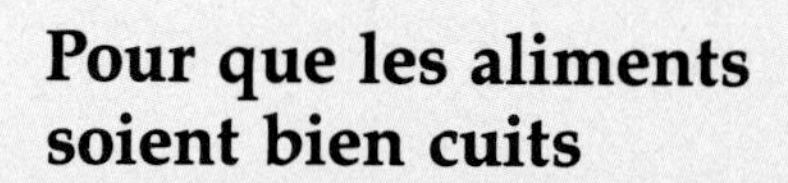

Pour que les aliments soient bien cuits

Si tu suis comme il le faut toutes le étapes d'une recette, tu réussiras de bons plats. Un des trucs que Croûton te suggère de temps à autre est de faire pivoter le plat ou l'assiette d'un demi-tour, entre deux étapes de cuisson. C'est une opération facile, qu'il faut toujours faire quand on te le demande.

1 Tes ingrédients et tes ustensiles.

2 • Rassemble le poivron vert, le poivron rouge, les champignons et l'oignon sur la planche à découper.
• Avec le couteau, coupe tous ces légumes en tranches fines.

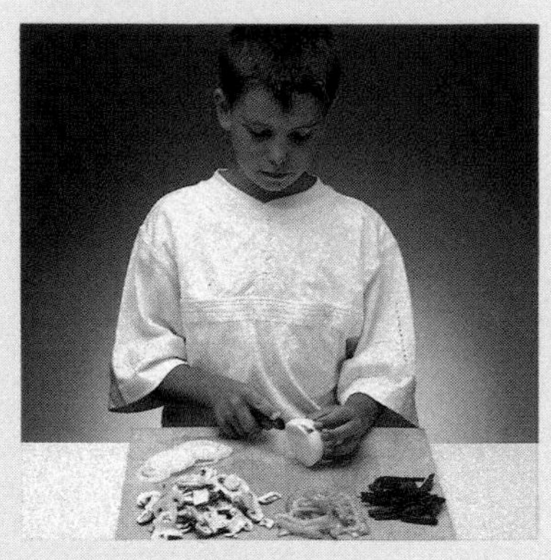

3 • Avec le couteau, sépare les pains pita en deux parties, pour avoir deux galettes minces.
• Verse une quantité égale de sauce tomate sur chaque morceau de pain.

4 • Mets une tranche de pepperoni sur chaque pain.
• Dépose ensuite une quantité égale de tranches de légumes sur chaque pain.

5 • Couvre chaque pizza d'une tranche de fromage et saupoudre ensuite d'un peu de paprika.

6 • Dépose quatre pizzas dans une grand assiette ; garde les autres de côté.
• Mets l'assiette dans le four et règle l'intensité à 100 %.
• Fais cuire 1 minute.

7 • Mets tes poignées et fais pivoter l'assiette d'un demi-tour.
• Fais cuire encore 1 minute.

8 • Retire l'assiette du four.
• Enlève les pizzas cuites et mets-les de côté. N'oublie surtout pas de mettre tes poignées !
• Dépose les quatre pizzas qui ne sont pas cuites dans l'assiette et mets-la au four.
• Règle l'intensité à 100 %.
• Fais cuire 1 minute.

9 • Fais pivoter l'assiette d'un demi-tour puis fais cuire encore 1 minute.
• Sors les pizzas du four.

10 • Ne sois pas trop impatient ! Les pizzas ne sont pas prêtes à manger dès que tu les sors du four. Tu dois attendre de 1 minute 30 secondes à 2 minutes. Pendant ce temps, la chaleur pénètre jusqu'au centre des aliments et c'est comme ça qu'ils finissent de cuire. En plus, comme les pizzas deviennent très chaudes pendant la cuisson, tu te brûlerais si tu les mangeais tout de suite.

Quiche-miche*
11 ans et plus

IL TE FAUT...

des ingrédients :
500 ml (2 tasses) de cheddar orange
500 ml (2 tasses) de croûtons de pain
2 oignons verts émincés
6 œufs
125 ml (1/2 tasse) de lait
un peu de sel
un peu de poivre
un peu de paprika

des ustensiles :
une râpe
de la graisse végétale en aérosol (du Pam)
quatre bols à céréales
un gros bol à mélanger
un fouet
un morceau de pellicule plastique

*** Tu dois laisser la quiche-miche reposer toute une nuit au réfrigérateur avant de la cuire.**

Pour râper facilement le fromage

Laisse le fromage au réfrigérateur jusqu'à ce tu sois prêt à le râper. Le fromage est plus dur quand il est froid, et c'est beaucoup plus facile de le râper quand il est froid et dur que quand il est chaud et mou.

1 Tes ingrédients et tes ustensiles.

2 • Vaporise de la graisse végétale à l'intérieur de chacun des bols, pour que ton mélange ne colle pas pendant la cuisson.

3 • Râpe le fromage.
• Prends la moitié des croûtons et mets-en une quantité égale au fond de chacun des bols.
• Prends ensuite le quart du fromage que tu as râpé et saupoudres-en une quantité égale sur les croûtons qui se trouvent dans les bols.

4 • Répartis les oignons verts dans chacun des bols.
• Recouvre le tout avec le reste de croûtons et de fromage.

5 • Casse les œufs au-dessus d'un bol à mélanger.
• Ajoute le lait, un peu de sel et un peu de poivre.
• Avec le fouet, bats les œufs pour obtenir un beau mélange lisse.

6 • Verse une quantité égale d'œufs dans chaque bol, par-dessus les croûtons et le fromage.

7 • Couvre soigneusement chacun des petits bols d'un morceau de pellicule plastique.
• Place les bols au réfrigérateur et laisses-les là toute la nuit pour que la préparation refroidisse.

8 • Le lendemain, au moment de préparer ton repas, enlève la pellicule plastique qui recouvre les bols et saupoudre les œufs d'un peu de paprika.

9 • Mets les quatre bols dans le four, sur la grille, et règle l'intensité à 70 %.
• Fais cuire 4 minutes.

10 **Mettre les bols sur la grille, cela s'appelle « surélever ». Il est très important que tu fasses cette opération si tu veux que tes quiches soient bien cuites.**

11 • Fais pivoter les bols d'un demi-tour et fais-les cuire encore de 3 à 4 minutes.
• Retire les bols du four et attends 3 minutes avant de servir.

Brochettes de saucisses*

7 ans et plus

IL TE FAUT...

des ingrédients pour préparer une marinade:

125 ml (1/2 tasse) de sauce soja
75 ml (1/3 tasse) de ketchup
50 ml (1/4 tasse) d'huile
50 ml (1/4 tasse) de vinaigre
5 ml (1 c. à thé) de moutarde préparée
30 ml (2 c. à soupe) de cassonade

des ingrédients principaux :

8 saucisses de Francfort
1 poivron vert
1 poivron rouge
2 oignons
2 tranches d'ananas

des ustensiles :

une planche à découper
un grand bol
un couteau à légumes
huit tiges de bois
une tasse à mesurer
des cuillères à mesurer
un plat carré de 20 cm (8 po) en verre, qui va au four à micro-ondes
une cuillère de bois

*** Tu dois laisser tremper les ingrédients dans la marinade pendant 2 heures avant de cuire les brochettes.**

1 Tes ingrédients.

2 Tes ustensiles.

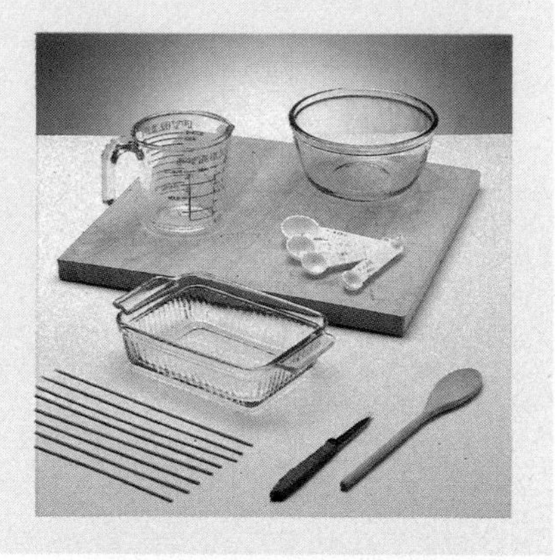

3 • Dans le grand bol. verse la sauce soja, le ketchup, l'huile et le vinaigre.
• Ajouter ensuite la moutarde et la cassonade.
• Mélange bien avec la cuillère de bois.
• Mets cette marinade de côté.

4 • Coupe les saucisses en 4 morceaux.
• Coupe les poivrons en gros morceaux carrés.
• Coupe les oignons en quartiers.
• Coupe chaque tranche d'ananas en 4 morceaux.

5 • Mets les morceaux de saucisse, de poivron, d'oignon et d'ananas dans la marinade que tu viens de préparer.

• Laisse mariner ces ingrédients pendant 2 heures, à la température ambiante.
• Remue les ingrédients à 2 reprises durant cette période.

6 • Retire les ingrédients de la marinade.
• Enfile un morceau d'ananas au centre de chaque tige de bois.
• Enfile les légumes et les morceaux de saucisse, selon ta fantaisie.

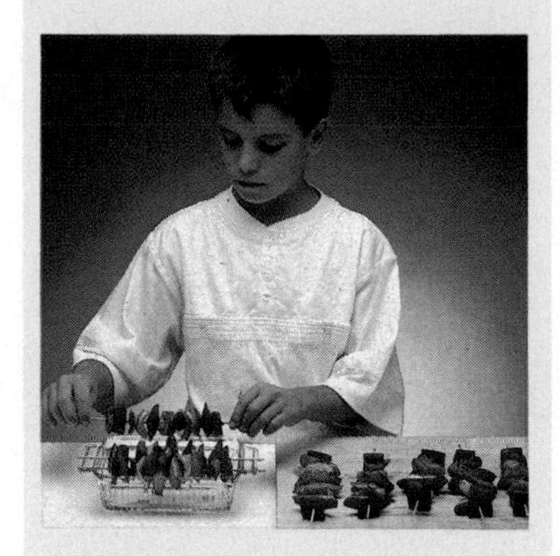

7 • Dépose 4 brochettes dans le plat, en les appuyant sur les bords, pour qu'elles soient suspendues.

8 • Mets le plat dans le four et règle l'intensité à 90 %.
• Fais cuire 2 minutes.
• Ouvre le four et change les brochettes de place : mets celles qui sont au centre du plat, au bord, et celles qui sont au bord du plat, au centre.
• Fais cuire à nouveau 1 minute.
• Si les brochettes ne sont pas assez cuites, fais chauffer 1 minute de plus.

9 • Retire les brochettes du plat et fais cuire les 4 autres de la même façon.

Comment sait-on si c'est cuit ?

Les cuisses de poulet sont cuites quand la viande se détache des os.
Les galettes de bœuf haché sont cuites à point quand on les pique au centre avec la pointe d'une fourchette et qu'il ne coule plus de sang.
Les légumes mis au four séparément sont cuits quand tu les piques avec une fourchette et qu'ils sont encore un peu durs. Ils continueront de cuire pendant le temps de repos.

Poulet divan

11 ans et plus

IL TE FAUT...

des ingrédients :

500 ml (2 tasses) de poulet cuit
1 brocoli
1 boîte de 284 ml (10 oz) de crème de poulet
1 boîte de 284 ml (10 oz) de crème de champignons
125 ml (1/2 tasse) de lait
un peu de sel
un peu de poivre
50 ml (1/4 tasse) de chapelure
un peu de paprika

des ustensiles :

un couteau
une planche à découper
un fouet
un plat de 2 litres (8 tasses) muni d'un couvercle
un plat à gratin
un faitout (grosse tasse à mesurer)

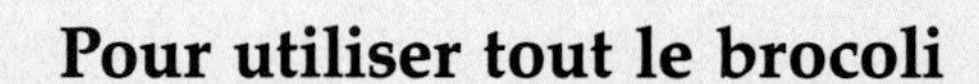

Pour utiliser tout le brocoli

Pour cette recette, tu as seulement besoin des bouquets (les têtes) du brocoli. Conserve quand même le pied du brocoli au réfrigérateur, bien emballé dans une pellicule plastique. Tu pourras l'utiliser dans une autre recette, par exemple dans une soupe.

1 Tes ingrédients et tes ustensiles. **Comme cette recette demande beaucoup d'ingrédients et d'ustensiles, vas-y étape par étape. Tu verras, de cette façon tu n'oublieras rien.**

2 • Place le poulet sur la planche à découper et coupe-le en morceaux.
• Mets-le de côté pour l'utiliser plus tard dans la recette.

3 • Mets le brocoli dans une passoire et rince-le sous l'eau du robinet. Laisse couler l'eau 1 ou 2 minutes.
• Coupe les têtes du brocoli.

4 • Mets les têtes dans un plat.
• Couvre le plat et mets-le au four.
• Règle l'intensité à 100 %.
• Fais chauffer 1 minute 30 secondes.

5 • Enlève le couvercle et remue le brocoli avec une fourchette.
• Remets le couvercle et fais cuire encore 1 minute 30 secondes.
• Laisse reposer 2 minutes.

6 • Retire les têtes de brocoli et rince-les sous l'eau du robinet.
• Égoutte-les bien.

7 • Verse la crème de poulet et la crème de champignons dans le faitout.
• Ajoute le lait et mélange bien avec un fouet.
• Assaisonne d'un peu de sel et de poivre.

8 • Dépose le poulet au fond du plat à gratin.
• Recouvre le poulet des têtes de brocoli.

9 • Verse ta sauce dans le plat à gratin.
• Saupoudre de chapelure et de paprika.

10 • Mets le plat dans le four.
• Règle l'intensité à 70 %.
• Fais cuire 2 minutes.

11 • Fais pivoter le plat d'un demi-tour et fais cuire encore 2 minutes.
• Vérifie si le mélange est chaud. S'il ne l'est pas, fais cuire encore 1 ou 2 minutes, mais pas plus.
• Attends 3 minutes avant de manger.

Jambon et œuf
7 ans et plus

IL TE FAUT...

des ingrédients :
1 tranche de pain de blé entier
1 tranche de jambon
1 œuf
1 gros morceau de cheddar

des ustensiles :
un couteau
un ramequin
une râpe
un cure-dents
des cuillères à mesurer
un morceau de pellicule plastique

Pour ne pas briser les jaunes d'œufs

Tu aimes le jaune d'œuf et tu veux qu'il conserve sa belle apparence une fois cuit? Croûton te suggère simplement de piquer le jaune avec un cure-dents avant de le faire cuire. De cette façon, les petites bulles qui se forment pendant la cuisson pourront s'échapper et l'œuf conservera sa belle apparence.

0 5 10 15 20 25 30 35 40 45 50 55

1 Tes ingrédients et tes ustensiles.

2 • **Lave-toi bien les mains avant de commencer à cuisiner, comme tu le fais avant de passer à table. Un bon cuisinier a toujours les mains propres !**

3 • Avec le couteau, coupe les croûtes tout autour de la tranche de pain.

4 • Mets la tranche de pain au fond du ramequin et presse son contour pour qu'elle prenne la même forme que le fond du moule.

5 • Dépose la tranche de jambon sur la tranche de pain.

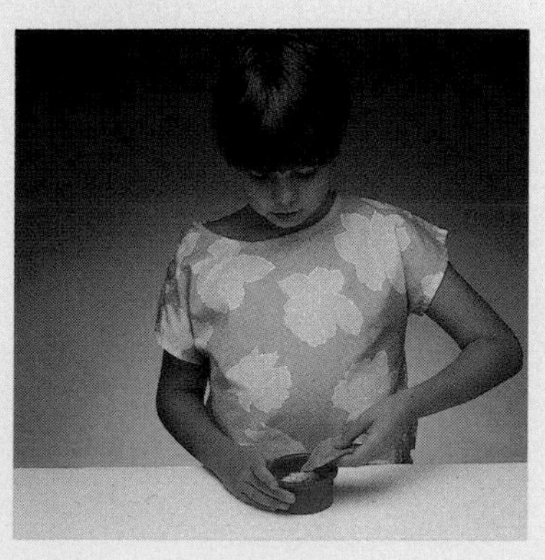

6 • Mets le ramequin dans le four et règle l'intensité à 100 %.
• Fais cuire 30 secondes.

7 • Retire le ramequin du four.
• Casse l'œuf au-dessus de la tranche de jambon en le frappant d'un petit coup sur le bord du ramequin.

8 • Avec un cure-dents, pique le jaune d'œuf à deux ou trois endroits.
• Râpe du fromage et mesures-en 30 ml (2 c. à soupe).

9 • Garnis la surface de l'œuf avec le fromage.
• Remets le ramequin au four et règle l'intensité à 70 %.
• Fais chauffer de 40 à 50 secondes.

10 • Sors le ramequin du four.
• Recouvre-le d'un morceau de pellicule plastique. Attends 1 minute.
• Retire la pellicule plastique et passe à table !

La râpe est un ustensile très tranchant et tu dois éviter de t'y frotter les doigts.

Pain de saumon
11 ans et plus

IL TE FAUT...

des ingrédients :
1 boîte de 200 g (7 oz) de saumon
125 ml (1/2 tasse) de céleri
30 ml (2 c. à soupe) d'oignon
125 ml (1/2 tasse) de poivron rouge
15 ml (1 c. à soupe) de beurre
175 ml (3/4 tasse) de lait
250 ml (1 tasse) de croûtons de pain frais
3 œufs
un peu de sel
un peu de poivre

des ustensiles :
un tasse à mesurer
une fourchette
un couteau
une planche à découper
un plat de 2 litres (8 tasses) muni d'un couvercle
un plat à gratin
un petit bol
de la graisse végétale en aérosol (du Pam)

Ne mets jamais dans le four à micro-ondes

Des boîtes de conserve, ouvertes ou fermées, car les ondes ne traversent pas le métal;
— des pots, des boîtes ou des récipients fermés hermétiquement car la pression de vapeur créée par la chaleur à l'intérieur du contenant le fera éclater, ou fera sauter le couvercle.

1 Tes ingrédients et tes ustensiles.

2 • Ouvre la boîte de saumon.
• Défais-le en petits morceaux avec une fourchette.
• Mets-le de côté dans une tasse à mesurer.

3 • Avec le couteau, hache le céleri, l'oignon et le poivron en petits dés.
Essaie de faire des dés de taille égale, sinon les petits dés cuiront plus vite que les gros. Avec le poivron et le céleri, tu commences par faire des languettes de taille égale. Avec l'oignon, ce sont des tranches que tu dois d'abord faire.

4 • Mets le beurre et les légumes dans le grand plat et pose le couvercle.
• Règle l'intensité à 100 %.
• Fais cuire 1 minute.

5 • Enlève le couvercle et remue les légumes avec une fourchette.
• Fais cuire encore 1 minute à 100 %.

• Si les légumes ne sont pas assez cuits, remets le couvercle et fais cuire de 30 secondes à 1 minute.

6 • Avec des poignées, retire le plat du four et enlève le couvercle.
• Verse le lait, puis ajoute le saumon et les croûtons.
• Mélange bien tous ces ingrédients avec la fourchette.

7 • Casse les œufs au-dessus d'un petit bol.
• Avec la fourchette, bats les œufs pour obtenir un beau mélange lisse.

8 • Verse les œufs sur le mélange de saumon, de légumes et de pain.
• Assaisonne avec un peu de sel et de poivre.
• Mélange bien tous les ingrédients avec la fourchette.

9 • Vaporise de la graisse végétale au fond du plat à gratin.
• Verse-y ensuite le mélange que tu as préparé.

10 • Mets le plat dans le four, sur la grille qui se trouve au centre.
• Règle l'intensité à 100 %.
• Fais cuire 4 minutes.

11 • Fais pivoter le plat d'un demi-tour.
• Règle l'intensité à 70 % et fais cuire 4 minutes.
• Fais pivoter à nouveau le plat d'un demi-tour et fais cuire 3 minutes à 70 %.

12 • Vérifie si le pain de saumon est assez cuit. S'il ne l'est pas, fais le cuire encore de 1 à 2 minutes.
• Attends 5 minutes avant de servir.

Spaghettini aux légumes

11 ans et plus

IL TE FAUT...

des ingrédients :

225 g (1/2 lb) de spaghettini non cuits
1 litre (4 tasses) d'eau
5 ml (1 c. à thé) d'huile
5 ml (1 c. à thé) de sel
30 ml (2 c. à soupe) de beurre
125 ml (1/2 tasse) de brocoli
125 ml (1/2 tasse) de chou-fleur
750 ml (3 tasses) de sauce tomate
125 ml (1/2 tasse) de mozzarella râpé
50 ml (1/4 tasse) de parmesan râpé
paprika

des ustensiles :

une cocotte de 4 litres (16 tasses) munie d'un couvercle.
une fourchette
une passoire
un plat à gratin
un plat

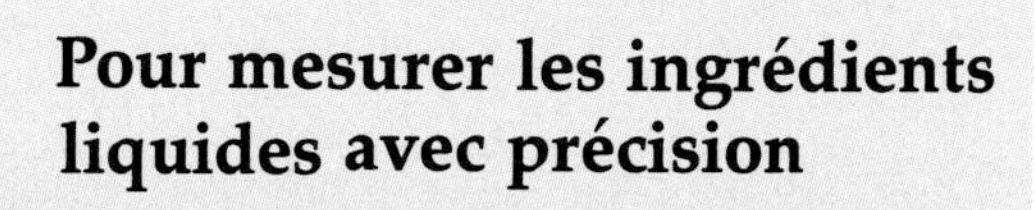

Pour mesurer les ingrédients liquides avec précision

Voici une méthode infaillible pour mesurer les ingrédients liquides.

1. Mets la tasse à mesurer sur le comptoir ou la table.
2. Verse le liquide lentement dans la tasse.
3. Baisse-toi ou assieds-toi pour avoir les yeux à la même hauteur.
4. Vérifie le niveau du liquide.

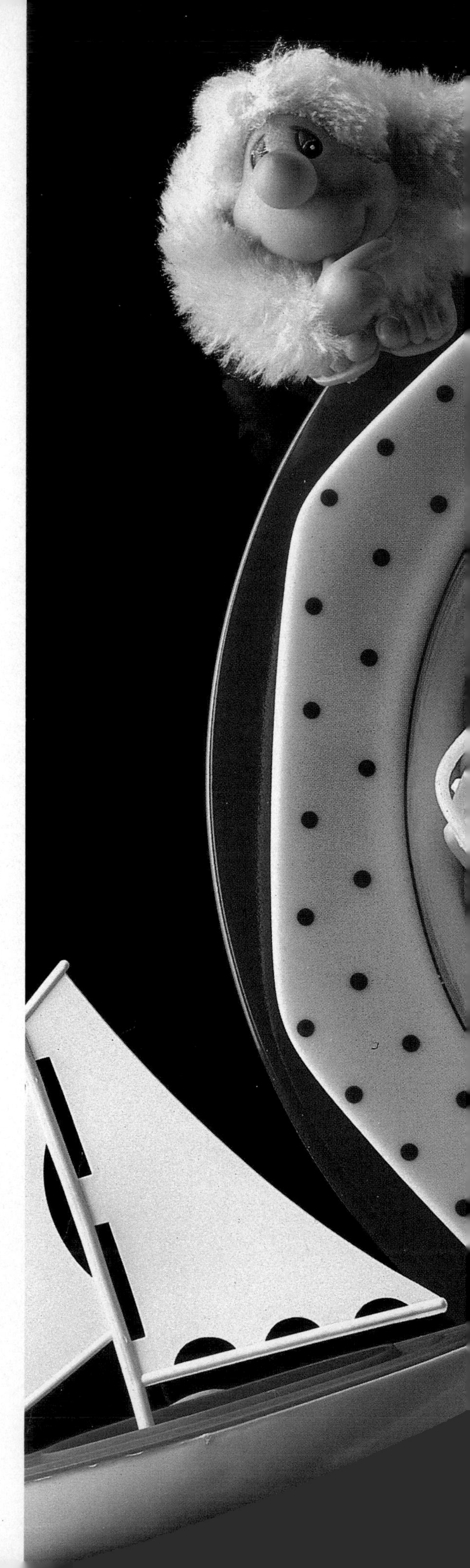

1 Tes ingrédients et tes ustensiles.

2 • Verse l'eau dans la cocotte et mets le couvercle.
• Place la cocotte dans le four.
• Règle l'intensité à 100 % et fais chauffer de 7 à 9 minutes, ou jusqu'à ce que l'eau bout.
• Retire le plat du four.

3 **• N'oublie pas de mettre tes poignées pour sortir les plats du four. Les micro-ondes rendent les aliments très chauds et comme la chaleur se transmet aux plats, tu risques de te brûler si tu ne mets pas de poignées pour les manipuler.**

4 • Ajoute l'huile, le sel et les spaghettini.
• Remets le couvercle et fais chauffer 2 minutes à 100 %.

5 • Remue les pâtes avec la fourchette pour qu'elles ne collent pas les unes aux autres.
• Couvre à nouveau et remets le plat au four.
• Fais chauffer 2 minutes, puis remue avec la fourchette encore une fois.
• Fais chauffer encore 1 minute et vérifie si

les pâtes sont cuites. Si elles sont dures, cuis-les encore 1 ou 2 minutes.

6 • Sors la cocotte du four.
• Verse les pâtes dans la passoire pour les égoutter.
• Rince ensuite les pâtes sous l'eau froide du robinet.
• Verse les pâtes dans le plat à gratin et mets-le de côté.

7 • Mets le brocoli et le chou-fleur dans la cocotte et ajoute le beurre.
• Mets le couvercle.
• Règle l'intensité à 100 % et fais chauffer 2 minutes.

• Remue les légumes avec une fourchette.
• Fais-les cuire encore 2 minutes et vérifie s'ils sont cuits. S'ils ne le sont pas encore, remets-les au four 1 minute.

8 • Lorsque les légumes sont cuits, dépose-les sur les pâtes et mets le tout de côté.

9 • Verse la sauce tomate dans le plat et fais-la chauffer 3 minutes à 100 %.
• Remue la sauce avec une fourchette.
• Remets-la au four encore 3 minutes.

10 • Verse la sauce tomate sur les légumes et le spaghettini.

11 • Étends le mozzarella et le parmesan sur les spaghettini.

12 • Saupoudre de paprika.
• Mets le plat à gratin dans le four.
• Règle l'intensité à 100 % et fais chauffer 3 minutes.
• Fais pivoter le plat d'un demi-tour.

• Fais chauffer encore 1 minute. Si le fromage n'est pas encore fondu, remets-le au four 1 minute.

Boisson chaude
7 ans et plus

IL TE FAUT...

des ingrédients :
2 oranges
1 citron
175 ml (3/4 tasse) d'eau
5 ml (1 c. à thé) de miel

des ustensiles :
une grosse tasse
un presse-agrumes
un couteau
une planche à découper

1 • Pose les oranges et le citron sur la planche à découper.
• Coupe-les en deux.

2 • Presse les moitiés de fruits avec le presse-agrumes.
• Verse le jus et l'eau dans la tasse.

3 • Mets la tasse dans le four et règle l'intensité à 100 %.
• Fais chauffer 1 minute.
• Si la boisson n'est pas assez chaude, fais-la chauffer 30 secondes de plus.

4 Ajoute le miel et remue pour bien mélanger.

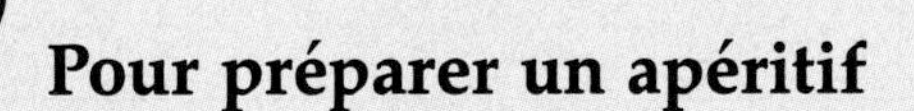

Pour préparer un apéritif

Sais-tu ce que c'est qu'un apéritif ? C'est une boisson qui ouvre l'appétit. Eh bien, j'en ai découvert un qui est trè facile à faire ! Je mélange bien, dans un pot à jus, la même quantité de jus de pamplemousse et de jus de tomate. J'utitise une cuillère de bois pour remuer. Quand les deux jus sont bien mêlés, je sers l'apéritif dans des petits verres et je mets un glaçon dans chacun. Et sais-tu comment ça s'appelle ? Un requin rose !

Omelette aux pommes
11 ans et plus

IL TE FAUT...

des ingrédients :
1 grosse pomme
15 ml (1 c. à soupe) de beurre
15 ml (1 c. à soupe) de cassonade
2 œufs
30 ml (2 c. à soupe) de lait

des ustensiles :
une assiette à tarte en verre
un couteau-éplucheur
une cuillère de bois
un couteau
un petit bol
un petit fouet
une fourchette

Pour peler les pommes

Si tu trouves difficile de peler une pomme avec un couteau, utilise un couteau-éplucheur. Tu verras qu'avec cet ustensile tu n'enlèves vraiment que la pelure de la pomme, et que tu en conserves la forme. Ce sera encore plus facile si, avant de peler la pomme, tu coupes une fine tranche sur le dessus avec un couteau.

1 Tes ingrédients et tes ustensiles.

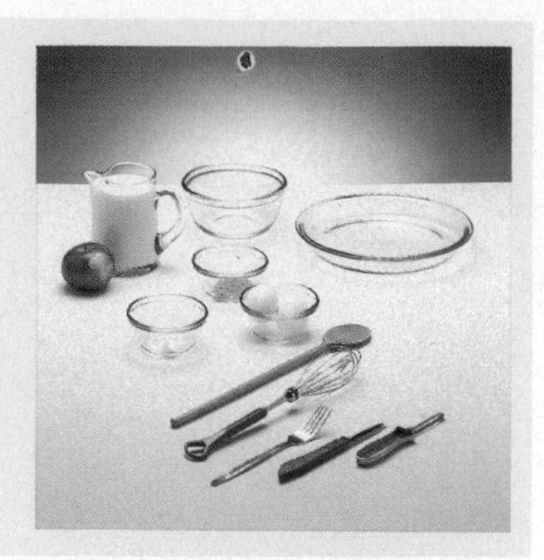

2 • Pèle la pomme à l'aide du couteau-éplucheur.
• Avec le couteau, enlève le cœur de la pomme et jette-le.
• Coupe la pomme en petits quartiers.

3 • Mets le beurre dans l'assiette et place-la au four.
• Règle l'intensité à 100 %.
• Fais chauffer 30 secondes.

4 • Ajoute la cassonade au beurre fondu.
• Mélange bien avec la cuillère de bois.

5 • Ajoute les morceaux de pommes.
• Remets l'assiette au four et fais chauffer 1 minute à 100 % d'intensité.
• Remue les ingrédients avec la cuillère de bois.

6 • Casse les œufs au-dessus d'un petit bol.
• Ajoute le lait.
• Avec le fouet, bats les œufs et le lait jusqu'à ce que le mélange soit crémeux.

7 • Verse ce mélange dans l'assiette, sur les pommes.
• Mets l'assiette au four et règle l'intensité à 70 %.
• Fais chauffer 1 minute.

8 • Sors l'assiette du four et, avec une fourchette, ramène les œufs qui ne sont pas cuits vers les bords de l'assiette.
• Remets l'assiette au four et fais chauffer 45 secondes à 70 %.
• Si les œufs ne sont pas encore cuits, fais-les chauffer de 30 à 45 secondes de plus.

9 • Attends 1 minute avant de manger ton omelette pour que les œufs finissent de cuire.

10 • Au moment où tu sortiras ton omelette du four, tu auras peut-être l'impression qu'elle n'est pas assez cuite. C'est normal, puisque la chaleur finira de se répandre dans toute l'omelette pendant la période de repos. C'est pourquoi tu dois attendre 1 minute avant de la manger. C'est le temps qu'il lui faut pour finir de cuire.

Mini-pizzas
7 ans et plus

IL TE FAUT...

des ingrédients :
3 muffins anglais
125 ml (1/2 tasse) de sauce tomate
de l'origan
250 ml (1/2 tasse) de mozzarella râpé
du paprika

des ustensiles :
un couteau
une cuillère
une grande assiette

Pour décorer un verre de lait

L'autre jour, j'avais envie de servir les verres de lait d'une nouvelle façon. Comme il me restait une banane et un peu de miel, j'ai eu l'idée suivante : j'ai d'abord mis 10 ml (2 c. à thé) de miel dans chaque verre, j'y ai versé le lait et j'ai bien agité pour dissoudre le miel. Ensuite, j'ai coupé la banane en tranches assez épaisses, sans la peler. J'ai posé toutes les tranches à plat sur la planche à découper et je les ai enfilées, par le côté, sur des tiges de bois. Au bout de chaque tige, il y avait trois tranches de banane. J'ai mis une tige dans chaque verre en laissant dépasser les bananes. J'ai appelé ma recette « rouli-roulant ». Plus tard, j'ai découvert qu'on pouvait faire la même chose avec du lait chaud. Délicieux !

1 Tes ingrédients et tes ustensiles.

2 • Avec le couteau, tranche les muffins en deux.
• Étends une quantité égale de sauce tomate sur chaque moitié de muffin.

3 • Mets un peu d'origan sur chaque moitié.
• Ajoute une quantité égale de fromage, puis un peu de paprika sur chaque moitié de muffin.

4 • Dépose les mini-pizzas dans l'assiette.
•Mets-la au four.
• Règle l'intensité à 70 %.
• Fais chauffer 1 minute.

5 • Ouvre la porte du four et fais pivoter l'assiette d'un demi-tour.
•Fais cuire encore 1 minute.

6 • Vérifie si les mini-pizzas sont cuites. Si elles ne le sont pas, fais-les cuire encore 30 secondes.

7 • Attends 1 minute avant de manger les mini-pizzas.

Croûton répond aux questions des marmitons

Oh là là ! C'est incroyable tout ce que les marmitons veulent savoir ! J'ai reçu des téléphones et une montagne de lettres.
Il y a même des marmitons qui m'ont abordé dans la rue pour me poser toutes sortes de questions sur la cuisine aux micro-ondes. Pour le bénéfice de tous les marmitons, je vais maintenant essayer de répondre aux questions qui me sont le plus souvent posées.
Lis-les, on ne sait jamais. Peut-être m'aurais-tu posé les mêmes questions.

Question de Danièle :
Cher Croûton, est-ce que c'est vrai qu'il ne faut pas être pressé quand on fait une recette ?

Réponse de Croûton :
C'est vrai, ma chère Danièle. D'abord, il est dangereux de se dépêcher quand on se sert d'ustensiles coupants ou qu'on manipule des plats chauds ; c'est souvent dans ces moments-là que les accidents se produisent. Ensuite, il est très important de ne jamais commencer une recette si on n'est pas sûr d'avoir le temps de la finir.

Question de Xavier :
Bonjour, Croûton. Tante Fabienne prétend qu'un bon cuisinier nettoie toujours le comptoir après avoir préparé le repas et moi je crois que le nettoyage, ce n'est pas l'affaire du cuisinier. Qui a raison ?

Réponse de Croûton :
Mais c'est tante Fabienne qui a raison, mon pauvre Xavier ! La grande cuisine, ce n'est pas seulement mélanger des ingrédients et les mettre au four.
C'est aussi prendre soin de tous les ustensiles et garder la cuisine en ordre.
Un cuisinier qui déplace les choses s'engage à les replacer. Et quand il salit, il nettoie.
La prochaine fois que tu cuisineras, dis-toi bien que, en tant que chef, tu n'es pas seulement responsable de la recette : le nettoyage du comptoir ou de la table, la vaisselle et le rangement des ustensiles font aussi partie de tes tâches.

Question de Marion :
Monsieur le maître queux, je trouve que la cuisine est bien compliquée parce que je ne sais jamais par quoi remplacer les ingrédients qui manquent quand je fais une recette.

Réponse de Croûton :
Tu trouves la cuisine compliquée parce que tu fais la même erreur que bien des marmitons débutants, Marion : tu ne lis pas la liste d'ingrédients avant de commencer la recette. Avant de commencer la préparation, il faut rassembler tous les ingrédients de la liste et vérifier s'il y a assez de chacun d'eux. De cette façon, on est sûr de pouvoir finir la préparation. Et on fait la même chose avec les ustensiles.

Question de Pierre :
Allô Croûton ! L'autre jour, j'ai essayé de faire une mini-pizza, mais elle a trop cuit. Papa m'a dit que je n'avais pas bien réglé l'intensité.
Est-ce qu'on peut augmenter l'intensité quand on veut que ça cuise plus vite ?

Réponse de Croûton :
Aie, aie, aie ! Il ne faut jamais mettre une autre intensité que celle qui est écrite dans la recette, Pierre, sinon on rate tout ! Lors de ta prochaine tentative, sois bien sûr que tu comprends comment on règle l'intensité et la minuterie. Il faut absolument

(Suite page 89)

Carrés à la guimauve

7 ans et plus

IL TE FAUT...

des ingrédients :

1 sac de 225 g (1/2 lb) de guimauves miniatures
50 ml (1/4 tasse) de beurre
1,25 litre (5 tasses) de céréales de marque « Rice Krispies »

des ustensiles :

une cuillère de bois
une tasse à mesurer
un plat rectangulaire, mesurant 30 cm (12 po) sur 20 cm (8 po) et profond de 5 cm (2 po)
un couteau

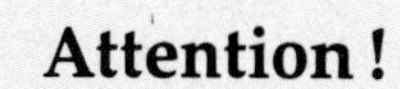

Attention !

Un bon cuisinier a toujours les mains propres... et il range ses aliments et ses ustensiles. Il nettoie lui-même la table ou le comptoir où il a travaillé. Et quand tout le monde a bien mangé, il participe au lavage de la vaisselle. Es-tu un bon cuisiner... ?

1 Tes ingrédients et tes ustensiles.

2 • Mets le beurre dans le plat.
• Règle l'intensité à 100 %.
• Fais chauffer 1 minute.

3 • Sors le plat du four et ajoute les guimauves.

4 • Remets le plat au four et fais chauffer à 100 % pendant 1 minute.
• Fais pivoter l'assiette d'un demi-tour et fais chauffer encore 1 minute.
• Avec la cuillère de bois, remue les guimauves. Si elles ne sont pas assez chaudes, fais-les chauffer encore 1 minute.

5 • Ajoute les céréales à la guimauve fondue.
• Avec la cuillère de bois, mélange bien pour répartir également la guimauve.

6 • Avec la cuillère de bois, presse la préparation pour qu'elle soit plus compacte.

7 • Laisse refroidir la préparation.
• Découpe la préparation en carrés avec un couteau.

Croûton répond aux questions des marmitons

respecter l'intensité et le temps de cuisson qui sont demandés par chaque recette.

Question d'Anne-Marie :
Dis-moi, Croûton, comment se fait-il que dans le plat que j'ai fait cuire l'autre jour il y avait des aliments qui n'étaient pas assez cuits ? Quand mon frère fait cette recette, elle est toujours réussie.

Réponse de Croûton :
Je ne sais pas de quel plat il s'agit, Anne-Marie, mais il est bien possible que tu oublies de faire pivoter le plat d'un demi-tour ou de remuer la préparation à la mi-cuisson. Quand la recette le demande, il faut absolument faire ces opérations, sinon quelques aliments cuisent trop alors que d'autres ne cuisent pas assez.

Question de Hamid :
Cher Croûton, je voudrais savoir ce qu'est le temps de repos.

Réponse de Croûton :
Tu poses une question importante, Hamid ! Le temps de repos, c'est la période durant laquelle on doit laisser reposer un mets, à la fin de la cuisson, avant de pouvoir le servir. C'est très important de respecter le temps de repos parce que, même si les aliments sont sortis du four et qu'il n'y a plus de micro-ondes autour d'eux, ils continuent à cuire encore un peu. Si on les servait tout de suite, ils ne seraient donc pas assez cuits, ou ils seraient trop chauds.

Question de Geneviève :
Bonjour, monsieur Croûton. Comme vous, j'aime beaucoup faire la cuisine, mais je fais souvent des éclaboussures qui tachent mes vêtements. Comment puis-je éviter ces petits accidents ?

Réponse de Croûton :
Ah, Geneviève, comme je comprends ton problème ! Sais-tu qu'il est si difficile d'éviter les éclaboussures que même les grands chefs en font ? On en fait beaucoup moins quand on ne verse pas de trop haut et qu'on ne remue pas trop brusquement, mais pour protéger ses vêtements, il n'y a qu'une solution. Il faut faire comme les chefs cuisiniers : porter un tablier !

Question de Benoît :
Salut, Croûton ! L'autre jour, en faisant une recette, je suis arrivé à l'étape qui disait d'ajouter les légumes cuits au mélange, mais j'avais oublié de les faire cuire et c'est maman qui a dû finir ma recette. As-tu un truc pour ne rien oublier ?

Réponse de Croûton :
Oui, Benoît, j'ai un bon truc. Lis d'abord toute la recette avant de commencer la préparation. Ensuite, suis bien toutes les étapes de la préparation, une par une, et respecte l'ordre dans lequel elles apparaissent. Pour te faciliter la tâche, tu peux même faire un petit crochet à côté des étapes à mesure qu'elles sont faites. Tu finiras tout seul ta prochaine recette si tu adoptes cette manière de cuisiner.

Voici un dernier conseil que j'aimerais donner à tous les marmitons : **N'hésitez pas à demander de l'aide à un adulte si vous ne comprenez pas quelque chose ou si vous avez de la difficulté. Si vous remarquez quelque chose d'anormal dans le fonctionnement du four, appuyez immédiatement sur le bouton d'arrêt et demandez l'aide d'un adulte.**

Boules granola*
11 ans et plus

IL TE FAUT...

des ingrédients :
50 ml (1/4 tasse) de beurre
125 ml (1/2 tasse) de cassonade mesurée bien tassée
125 ml (1/2 tasse) de miel
5 ml (1 c. à thé) de cannelle
625 ml (2 1/2 tasses) de gruau
125 ml (1/2 tasse) de grains de chocolat
125 ml (1/2 tasse) de noix de coco râpée
5 ml (1 c. à thé) de vanille
125 ml (1/2 tasse) de sucre glace

des ustensiles :
un faitout (grosse tasse à mesurer) de 2 litres (8 tasses)
une cuillère de bois
un sac de polythène

***Tu dois laisser refroidir le mélange au réfrigérateur pendant 40 minutes avant de façonner les boules.**

Pour façonner les boules sans difficulté

Pour empêcher que la pâte te colle aux doigts quand tu façonneras les boulettes, mouille tes mains avant. Tu verras, ce sera plus facile et il n'y aura pas de dégât.

1 Rassemble tous tes ingrédients en prenant bien soin de ne rien oublier.

2 • Voici les ustensiles dont tu auras besoin pour cette recette. Maintenant, au travail !

3 • Mets le beurre dans le faitout.
• Place le faitout au four et règle l'intensité à 100 %.
• Fais chauffer 1 minute.

4 • Ajoute la cassonade au beurre fondu et mélange bien.
• Ajoute le miel et la cannelle.
• Mélange bien avec la cuillère de bois.
• Remets le faitout dans le four et fais chauffer 2 minutes à 100 %.

5 • Ajoute le gruau, les grains de chocolat, la noix de coco et la vanille.
• Remue avec la cuillère de bois pour bien mélanger.

Les petites opérations de la grande cuisine

6 • Couvre le faitout d'une pellicule plastique.

•Mets le faitout au réfrigérateur et laisse refroidir le mélange 40 minutes.

7 • Façonne des boules de la grosseur d'une noix.

Mélange bien les ingrédients sinon les boules n'auront pas toutes le même goût. Pour cela, pousse le mélange qui se trouve sur les bords vers le centre, puis écrase-le. Recommence cette opération jusqu'à ce que la consistance du mélange soit uniforme.

8 • Verse le sucre glace dans le sac de polythène.

• Mets les boules dans le sac et remue doucement pour que toutes les boules soient bien enrobées de sucre.

Pour réutiliser ta marinade

Tu sais que la marinade que tu prépares pour cette recette peut être utilisée plus d'une fois ? Ce serait dommage de la jeter. Si tu veux la garder, tu n'as qu'à la passer au tamis. Tu sais ce qu'est un tamis ? C'est un ustensile qui ressemble à une passoire, sauf qu'il y a plus de trous et qu'ils sont plus fins. Tu en as sûrement un chez toi. Donc, place le tamis au-dessus d'un bol et verses-y ta marinade. Ferme-le hermétiquement et mets-le au réfrigérateur. Tu pourras utiliser cette marinade la prochaine fois que tu prépareras des brochettes.

Fudge
10 ans et plus

IL TE FAUT...

des ingrédients :
750 ml (3 tasses) de sucre
1 boîte de 160 ml (5 1/2 oz) de lait concentré sucré
175 ml (3/4 tasse) de beurre
1 sac de 175 g (6 oz) de brisures de chocolat
1 pot de 200 g (7 oz) de crème de guimauve

des ustensiles :
une cocotte de 4 litres (16 tasses)
une cuillère de bois
un moule carré de 20 cm (8 po)
de la graisse végétale en aérosol (du Pam)
un couteau

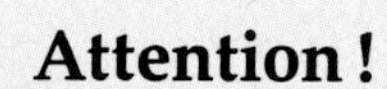

Attention !

Porte toujours des poignées lorsque tu retires un plat du four, ou lorsque tu remues des ingrédients qui ont chauffé. Même si les micro-ondes ne chauffent pas les plats, la chaleur qui se dégage des aliments se communique au plat qui devient très chaud.

1 Tes ingrédients et tes ustensiles.

2 • Verse le sucre dans la cocotte et ajoute le lait et le beurre.
• Mélange bien avec la cuillère de bois.

3 • Mets la cocotte dans le four et règle l'intensité à 100 %.
• Fais chauffer 5 minutes.

4 • Remue le mélange avec la cuillère de bois.
• Fais chauffer encore 4 minutes.

6 • Vaporise de la graisse végétale à l'intérieur du moule carré.

5 • Ajoute le chocolat en remuant avec la cuillère.
• Ajoute ensuite la crème de guimauve.

• Remue sans arrêt, jusqu'à ce que le chocolat soit complètement fondu.

7 • Verse le mélange dans le moule.
• Laisse refroidir le mélange.

8 • Quand le mélange a durci, coupe-le en petits morceaux carrés avec un couteau.

Pour faire un lait au chocolat différent

Je sais que tu aimes le lait au chocolat, et la plupart de tes amis aussi. Vous avez bien raison, d'ailleurs, car c'est une boisson délicieuse qui est facile à préparer. On aime la boire chaude en hiver et froide en été. Seulement, quand on sert du lait au chocolat, il n'y a pas de surprise parce que tout le monde en connaît bien le goût. J'ai trouvé l'autre jour un bon truc qui a agréablement surpris tous mes amis. Avant de verser le chocolat chaud dans les tasses, j'ai mis 50 ml (1/4 tasse) de lait de coco dans chacune d'elles, et j'ai décoré les tasses avec de la noix de coco râpée. Mes amis n'en sont pas revenus et ils m'en redemandent souvent.

Pomme au four
7 ans et plus

IL TE FAUT...

des ingrédients :
1 grosse pomme
5 ml (1 c. à thé) de beurre
10 ml (2 c. à thé) de cassonade
15 ml (1 c. à soupe) de raisins secs

des ustensiles :
un couteau
des cuillères à mesurer
un ramequin

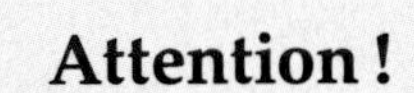

Attention !

Ne mets jamais dans le four à micro-ondes — des ustensiles ou des objets, petits ou gros, qui ont des parties métalliques, par exemple des récipients de métal, des couteaux, des fourchettes, une passoire ;
— des sacs fermés avec des attaches métalliques car elles si elles feront des étincelles si elles se touchent. Remplace les attaches métalliques par des attaches de plastique.

Attention !

Il est important de piquer la pomme avant de la mettre au four. Cela favorise une cuisson égale. Une pomme bien cuite, c'est bien meilleur !

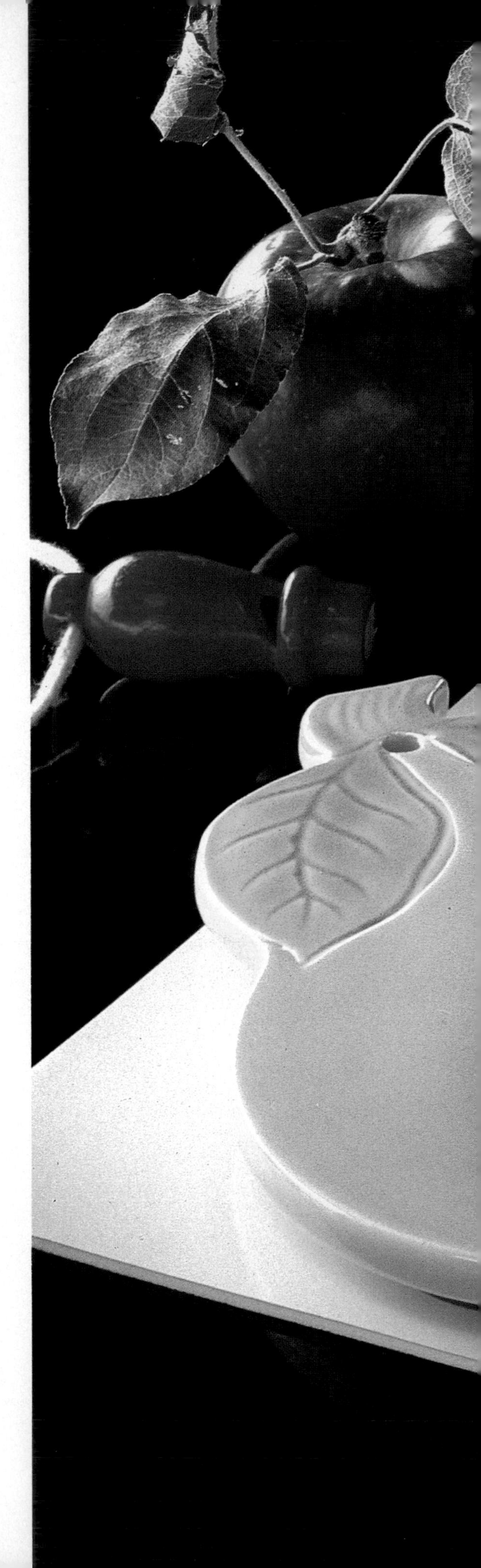

A votre santé, professeur!

1 Tes ingrédients et tes ustensiles.

2 • Avec le couteau, enlève le cœur de la pomme.

3 • Enlève une petite tranche de pelure sur le dessus de la pomme.
• Avec la pointe du couteau, pique la pomme à plusieurs endroits.
• Mets la pomme dans le ramequin.

4 • Mélange le beurre, la cassonade et les raisins.
• Dépose ce mélange dans le trou de la pomme.

5 • Mets le ramequin dans le four et règle l'intensité à 100 %.
• Fais cuire 1 minute.
• Vérifie si la pomme est assez cuite : si elle ne l'est pas, fais-la cuire encore de 20 à 30 secondes.

6 **• Si tu veux préparer plus d'une pomme à la fois, il faudra que tu fasses attention au temps de cuisson. Il ne faut pas multiplier le temps de cuisson par le nombre de pommes, mais plutôt suivre ces indications : entre 1 minute et 1 minute 30 secondes pour 2 pommes, et entre 2 et 3 minutes pour 3 pommes.**

Récapitulons avec Croûton

Tu as appris beaucoup de choses dans ce livre. Pour être bien sûr que tu as bien compris, j'ai préparé un petit résumé. Alors, récapitulons si tu le veux bien.

Comment fait-on réchauffer ?

Si les aliments qui servent à préparer ton repas ont déjà été cuits, tu n'as qu'à les réchauffer. Cela signifie qu'ils iront au four beaucoup moins longtemps que si tu les cuisais, sinon, ils durciraient. On peut réchauffer les aliments dans un plat ou dans une assiette.

1. Le plat doit avoir son couvercle et l'assiette doit être couverte d'une pellicule plastique.
2. Règle l'intensité du four.
3. Règle la minuterie.
4. Mets les aliments au four et mets le four en marche.
5. **Si c'est nécessaire,** fais pivoter le plat ou l'assiette d'un demi-tour après le premier cycle de réchauffage et retourne ou remue les aliments.
6. À la fin, vérifie si les aliments sont assez chauds en touchant le fond du plat ou de l'assiette. Si le fond de l'assiette ou du plat est chaud, c'est prêt. Sinon, remets le tout au four, une seule minute à la fois, jusqu'à ce que le fond soit chaud.
7. Laisse reposer quelques minutes avant de découvrir et de servir.

Comment fait-on cuire ?

La façon de faire cuire les aliments change toujours un peu d'une recette à l'autre. Nous allons quand même essayer de voir ensemble les étapes qui reviennent le plus souvent.
Ne cuis pas les aliments dans un contenant de plastique ou dans un contenant fermé hermétiquement.
Certains aliments comme les œufs et les saucisses ont une membrane qui peut éclater durant la cuisson. Il faut perforer, avec un cure-dents, le jaune et le blanc des œufs et perforer les saucisses avant de les mettre au four.

1. **Si la recette le demande,** mets le couvercle ou une pellicule plastique sur le plat. Si tu utilises une pellicule, laisse un coin à découvert ou perfore-la pour laisser sortir la vapeur.
2. Règle l'intensité du four.
3. Règle la minuterie.
4. Mets le plat au four et mets le four en marche.
5. Fais pivoter le plat d'un demi-tour au moment indiqué par la recette.
   Retourne ou remue les aliments si la recette le demande.
6. Après le dernier cycle de cuisson, vérifie si c'est prêt.
   Si les aliments ne sont pas assez cuits, remue-les ou retourne-les puis remets-les au four pour une très courte période : **pas plus de deux minutes à la fois.**
7. Si le plat n'est pas couvert, couvre-le pour la période de repos.
   Laisse reposer quelques minutes avant de découvrir et de servir.

Sucre à la crème

12 ans et plus

IL TE FAUT...

des ingrédients :

500 ml (2 tasses) de cassonade
250 ml (1 tasse) de crème à 35 %
un peu de vanille, au goût

des ustensiles :

un faitout (grosse tasse à mesurer)
de 2 litres (8 tasses)
une cuillère de bois
un batteur électrique à main
un plat carré de 20 cm (8 po)
de la graisse végétale en aérosol (du Pam)

Attention !

Quand tu sors un plat du four et que tu en retires le couvercle, ou la pellicule plastique, ne mets jamais ton visage au-dessus, pour en humer l'odeur par exemple. La vapeur accumulée sous le couvercle peut causer de vilaines brûlures quand elle est libérée d'un coup. Mets des poignées et retire le couvercle à bout de bras, en l'amenant, d'un coup, à côté du plat. Si tu dois retirer une pellicule plastique, alors place le plat loin de toi, soulève la pellicule et tire-la vers toi.

1 Tes ingrédients et tes ustensiles.

2 • Verse la cassonade dans le faitout et ajoute la crème.
• Mélange bien avec la cuillère de bois.

3 • Mets le faitout dans le four et règle l'intensité à 100 %.
• Fais cuire 10 minutes.
• Attends 5 minutes avant de mélanger.

4 • Fouette le mélange avec le batteur à main jusqu'à ce qu'il colle sur les bords du faitout.

5 • Vaporise de la graisse végétale à l'intérieur du plat carré.

6 • Verse le sucre à la crème dans le plat.
• Laisse-le refroidir jusqu'à qu'il durcisse.

7 • Coupe le sucre à la crème en carrés avec un couteau.

Croûton tient à bien manger tous les jours

Bien manger, ça c'est important ! C'est même l'une des choses les plus importantes dans la vie parce que si on mange mal, on ne se sent pas bien et on n'est pas heureux.
Quand je dis que je tiens à bien manger tous les jours, il y en a qui pensent que je veux manger beaucoup. Pas du tout ! Manger beaucoup et bien manger sont deux choses différentes. Quand on mange bien, on s'efforce de consommer des aliments variés. Ce n'est pas nécessaire de manger beaucoup de chaque aliment.
Pourquoi faut-il manger des aliments variés ?
Parce que notre corps a besoin de toutes sortes de substances pour grandir et pour bien fonctionner. Le corps humain est fait d'une très grande quantité de cellules et chacune d'elles a besoin d'être nourrie pour rester en bon état. C'est un peu compliqué parce que ces cellules ne sont pas toutes semblables. Les cellules qui forment les dents, par exemple, sont très différentes de celles qui qui forment la peau. Elles ne ressemblent pas non plus à celles qui forment les cheveux. Chaque sorte de cellule aura donc besoin d'éléments différents que l'on trouvera dans des aliments différents. Voilà pourquoi il faut manger tous les jours une bonne variété d'aliments. C'est la seule façon de rester en bonne santé.
Tu connais déjà le nom de plusieurs des éléments dont les cellules ont besoin. Ainsi, tu as sûrement entendu parler des vitamines, du fer et du calcium. Mais quelques-uns de ces éléments portent parfois des noms bizarres : les glucides, les lipides et la riboflavine, par exemple.
Comment sauras-tu si tu as consommé assez de tous ces éléments ?
C'est devenu assez simple grâce aux découvertes des diététistes. Les diététistes sont des experts qui ont examiné tous les aliments pour connaître les substances qu'ils contiennent. Ils les ont classés en quatre groupes. Les diététistes ont découvert que si tu manges tous les jours des aliments de chaque groupe, les cellules de ton corps ne manqueront de rien et tu resteras en bonne santé.
Quels sont les quatre groupes d'aliments et à quoi servent-ils ?

1er groupe : le lait et les produits laitiers

Dans le premier groupe, il y a le lait, le lait au chocolat, la crème, le beurre, les fromages et le yaourt. Quant tu manges ces aliments, tu fournis à ton corps ce qu'il lui faut pour guérir les coupures et les autres blessures, pour te défendre contre les virus et pour garder tes os et tes dents en bon état.

2e groupe : le pain et les céréales

3e groupe : les fruits et les légumes

4e groupe : la viande et les aliments qui peuvent la remplacer

Dans le deuxième groupe, il y a le pain de blé entier, le gruau, les céréales et plusieurs produits qui sont faits avec des céréales comme des muffins ou des spaghetti. Ces aliments donnent à ton corps ce qu'il lui faut pour grandir, et pour garder tes veines et ton sang en bonne condition.

Les diététistes ont classé tous les fruits et tous les légumes dans le même groupe. Ton corps se sert des fruits et des légumes pour te donner de l'énergie, pour garder ta peau en bon état et pour t'assurer une bonne vue.

Dans le dernier groupe, il y a toutes les sortes de viandes et les aliments qui peuvent les remplacer comme le poisson, les pois secs et les haricots secs, etc.
Grâce à ces aliments, ton corps peut bien digérer, fabriquer du sang riche et te donner de l'énergie.

Maintenant tu comprends ce que c'est que bien manger. Ce n'est pas bien compliqué, n'est-ce-pas ? N'oublie pas de manger chaque jour des aliments de chaque groupe. C'est la seule façon d'être en aussi bonne forme que Croûton !

Le four à micro-ondes : un appareil sécuritaire

Depuis plusieurs années déjà, on s'interroge sur la qualité des aliments cuits au four à micro-ondes et aussi sur le four lui-même. On a maintenant pu établir avec certitude que l'utilisation normale de cet appareil électroménager ne présente aucun danger et que les aliments qui y ont été cuits ou réchauffés ont la même valeur nutritive que ceux qui ont subi la chaleur de la cuisinière traditionnelle. Bien entendu, on peut admettre que le four à micro-ondes soit sécuritaire, mais l'est-il au point qu'on puisse en confier l'utilisation à des enfants ? Cette question est tout à fait pertinente et mérite qu'on s'y arrête. D'abord, que sont en réalité ces micro-ondes dont on a tant parlé ? Il s'agit d'ondes courtes, semblables aux ondes radio, mais dont le rayonnement est extrêmement limité par rapport à celui des ondes radio. Tout comme les ondes radio traversent les murs sans les altérer, les micro-ondes traversent certains matériaux sans les réchauffer : la porcelaine, le verre, certains plastiques, le papier et le carton, etc. Par contre, les micro-ondes agitent les molécules d'eau, de gras et de sucre qui composent les aliments. L'impulsion d'une force électromagnétique aux molécules qui passe rapidement du positif au négatif les fait pivoter environ deux milliards et demi de fois à la seconde. Agitées à cette vitesse et se frottant vigoureusement les unes aux autres, les molécules produisent une chaleur suffisante pour cuire rapidement n'importe quel aliment. On peut dire, en résumé, que l'aliment, excité par les micro-ondes, produit lui-même la chaleur nécessaire à sa cuisson. Si on peut comparer les micro-ondes aux ondes radio, on doit cependant les distinguer des ondes telles que les rayons X et les rayons ultra-violets qui, elles, comportent certains dangers en raison de leur effet cumulatif sur les cellules vivantes. Les micro-ondes ne font que traverser les récipients et les aliments ; elles ne s'emmagasinent nulle part. Ainsi, on peut être assuré qu'on ne mange jamais de micro-ondes, même si on dit couramment que les aliments *absorbent* les micro-ondes. Supposons maintenant que votre main, par exemple, est exposée aux micro-ondes. Qu'arriverait-il ? Vous subiriez une vive brûlure et la ressentiriez aussi nettement et aussi rapidement que si vous aviez approché votre main d'une flamme vive. Vous ne subiriez cependant aucun autre désagrément, ni sur le coup, ni plus tard. Toutefois, un pareil accident est purement théorique et ne risque pas

de se produire lorsque votre four à micro-ondes est utilisé normalement. C'est pourquoi il est beaucoup plus sécuritaire pour vos enfants qu'une cuisinière traditionnelle.
Le four à micro-ondes est d'abord sécuritaire parce qu'il peut être arrêté instantanément, et ce en tout temps. En effet, la production des ondes par le magnétron est interrompue aussi simplement et aussi soudainement que la production de lumière par une ampoule électrique. Le bouton d'arrêt est généralement très facile à repérer et à actionner, et tous les modèles de fours à micro-ondes sont munis d'un système de sécurité qui interrompt immédiatement l'émission de micro-ondes dès qu'on ouvre la porte. Ainsi, même le fait d'ouvrir brusquement la porte alors que le four fonctionne à 100 % d'intensité ne présente aucun danger d'irradiation. L'enfant dispose ainsi de deux moyens efficaces d'interrompre la cuisson en cas d'urgence. De plus, tous les modèles de fours sont munis d'un autre mécanisme de sécurité, distinct du précédent, qui empêche la remise en marche du four tant que la porte n'a pas été soigneusement refermée.
Le four à micro-ondes est ensuite sécuritaire parce qu'il ne produit pas de chaleur directe.
La chaleur interne des aliments n'est que partiellement communiquée aux récipients et ni les parois du four, ni le magnétron, ni la porte, ni la fenêtre, ni la grille (faite de plastique) sur laquelle on pose les plats ne deviennent chauds même après un long cycle de cuisson à 100 %. Les enfants ne risquent donc pas de s'y brûler les mains ou les bras.
Finalement, le four à micro-ondes est plus sécuritaire que la cuisinière traditionnellle parce qu'il permet de décongeler, de cuire et de servir une préparation dans un même récipient. On peut ainsi éviter aux enfants le transfert des aliments chauds d'un récipient à un autre et on élimine du même coup une bonne part des risques de brûlures, de gâchis ou d'éclaboussures. De plus, parce qu'ils sont beaucoup moins chauds qu'ils ne le seraient au sortir du four traditionnel, les récipients sont plus faciles à manier pour les enfants.
Tous ces avantages ne font toutefois pas du four à micro-ondes un jouet. Aussi devriez-vous prendre connaissance des principes de sécurité que nous vous exposons en début de volume et expliquer clairement à vos enfants toutes les consignes qui s'adressent à eux. Une fois ces consignes bien comprises, ils seront en mesure d'utiliser votre four avec presque autant d'adresse que vous, et sûrement beaucoup de plaisir !

Index

Répertoire des TRUCS DE CROÛTON

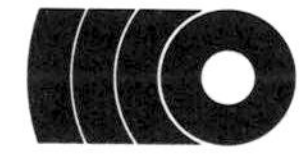

Ont collaboré à la Grande Collection Micro-Ondes :

Choix de recettes et assistance technique :
École de cuisine Bachand-Bissonnette
Conseillers culinaires :
Michèle Émond, Denis Bissonnette
Diététiste :
Christiane Barbeau
Photos :
Laramée Morel Communications Audio-Visuelles
Assisté de : Robert Légaré
Julie Léger
Pierre Tison
Alain Bosman
Stylisme :
Claudette Taillefer
Adjoints : Anne Gagné
Nathalie Deslauriers
Sylvain Lavoie
Accessoiriste : Andrée Cournoyer
Rédaction : Communications
La Griffe Inc.
Révision des textes : Cap et bc inc.
Typographie :
Monique Magnan
Montage : Marc Vallières
Vital Lapalme
Carole Garon
Jean-Pierre Larose
Daniel Pelletier

Directeur de la production :
Gilles Chamberland
Illustrateur :
Luc Métivier
Directeur artistique et responsable du projet :
Bernard Lamy
Conseillers spéciaux :
Roger Aubin
Joseph R. De Varennes
Gaston Lavoie
Kenneth H. Pearson
Réalisation :
Le Groupe Polygone Éditeurs Inc.

Nous remercions les maisons PIER 1 IMPORTS et LE CACHE POT de leur participation à l'illustration de cette encyclopédie.